ディープ・ステイトとの血みどろの戦いを勝ち抜く中国

副島隆彦
Soejima Takahiko

ビジネス社

はじめに

この本は、最、最新の中国研究の本である。

この9月、10月に中国で7つの大きな動きがあったことから書く。中国政府は一気にまとめて、7つの巨大勢力を次々と叩き潰した。このことが分からなければ、最新、最先端の中国を分析、解剖したことにならない。

私は、はっきりと見抜いた。叩き潰された7つの巨大勢力とは何か。

(1) **「デジタル人民元」**がアメリカのドル覇権を叩き潰しつつある。デジタル人民元が世界通貨体制の要《かなめ》となるだろう。

(2) **台独《たいどく》（台湾独立派）**を叩き潰して、アメリカが台湾に肩入れし、手出し、干渉することを撃退する。日本やオーストラリアごときは、その手駒（paw《ポウ》）に過ぎない。

敵は「鋼《はがね》の長城《ちょうじょう》に頭をぶつけ、血を流すだろう」と述べた習近平

2021年7月1日、「中国共産党創立100周年記念式典」で習近平は、西側諸国を強烈にけん制した。それに対して聴衆の拍手がやまず、式典のハイライトとなった。それと「台湾を統一する」で国民は総立ち。

(3) 習近平は、勉強させ過ぎ**(過酷な受験勉強)**の子供たちを救出した。精鋭《せいえい》国際教育集団(OSIEG)という巨大教育産業(全国学習塾チェーン)を叩き潰して倒産させた。ニューヨーク上場株式消滅。ゲーム・アニメ・動画も同じく弾圧した。

(4) 経営危機の**「恒大《こうだい》集団」**を始め最大手不動産デベロッパーを、うまく国家の住宅政策に取り込んだ。恒大は同業種の国有企業が吸収合併《マージャー・アンド・リクイジション》。過熱した住宅価格を2割下げる。そして、14億人の全ての民衆(国民)に100㎡の高層住宅を持たせる(買えるようにする)。

(5) **中国版ビッグテック**(アリババ、テンセントなど)を、デジタル人民元の仕組みの中に解体的に取り込む。

(6) 9月24日に、**ビットコインと全ての仮想通貨《かそうつうか》(暗号資産《クリプトアセット》)**を禁圧し、国外追放にした。鉱山主《マイナー》たちの多くがアメリカのテキサス州に逃げた。仮想通貨はやがて叩き潰され、世界通貨体制の中にブロックチェーンを中心にして取り込まれる。新しい世界通貨体制《ワールド・カレンシー・オーダー》は予定通り、やがて、カザフスタン国にすべての国の政府と中央銀行が集まって、国際条約で発足する。

(7) 生物兵器《バイオウエポン》（細菌爆弾《ジャームボム》）としての**コロナウイルス**の武漢への攻撃を、中国は完全に撃退した（2020年9月に習近平が勝利宣言をした）。中国はディープ・ステイト（陰《かげ》に隠れた世界支配者ども）の中国攻撃を内部に攻め込ませる形で迎撃《げいげき》して粉砕した。中国の勝利だ。このあとの**mRNAワクチン**という世界民衆大量殺戮《さつりく》の邪悪な生物化学兵器も中国は見抜いて防御した。愚か者の日本や、欧米の白人たちは、これから国民がたくさん死ぬ。

このように、中国は7つの巨大な敵勢力をこの秋、一気に叩き潰した。そして、習近平は「中国はこれから中産階級を育てて増やすことで、『共同富裕』を目指す」と宣言した（8月17日）。これは、中産階級がどんどん没落している日本や、欧米の資本主義国に対する大変な嫌味《イヤミ》と皮肉である。

中国は、昔の毛沢東主義の「貧乏な絶対平等主義」を捨てたのである。「みんなで豊かになろう（共同富裕）」と指導者が、大声で、何のためらいもなく宣言できる、今の中国は素晴らしいのである。このように大きく、大きく世界を見る目がないなら、政治言論や政治研究などやる必要はない。

私、副島隆彦は、常に世界規模《スケール》の大きな動きを見ている。日本国内の反共右翼と中国嫌いたちがどんなに喚《わめ》いて泣き叫《さけ》ぼうが、どうせ中国が世界覇権国《ヘジェモニックステイト》になる。文句があるなら何か書いてきなさい。

副島隆彦

第2章 これから世界の通貨の中心となるのは、「デジタル人民元」である

第3章 マスメディアが煽り続ける台湾問題の真実

第4章　テクノロジー開発競争と欧米諸国の没落

第5章 ディープ・ステイトと中国の終わりなき闘い

第1章

中国の歴史を根底から変えた習近平の「共同富裕」

「共同富裕」の本当の意味

ここからは、「はじめに」で書いた「7つの巨大勢力の叩き潰し」の(4)の恒大集団の経営危機、そして破綻のドラマについて説明する。

だがその前に、超最新の動きを紹介する。2021年11月11日、中国共産党の六中全会で「歴史決議」が採択された。これは1981年の鄧小平《とうしょうへい》以来、40年ぶりのことである。新聞記事を載せる。

「歴史決議採択、6中全会閉幕　習氏、長期政権へ布石」

中国共産党の第19期中央委員会第6回全体会議（6中全会）は11日、40年ぶりとなる第3の「歴史決議」を採択し閉幕した。新たな決議は習近平（シーチンピン）総書記の功績をたたえ、毛沢東、トウ小平と並ぶ歴史的指導者に位置づけるもので、長期

落ちていく恒大集団は、同業の企業が吸収合併する

年初来85%下落している恒大集団の株価

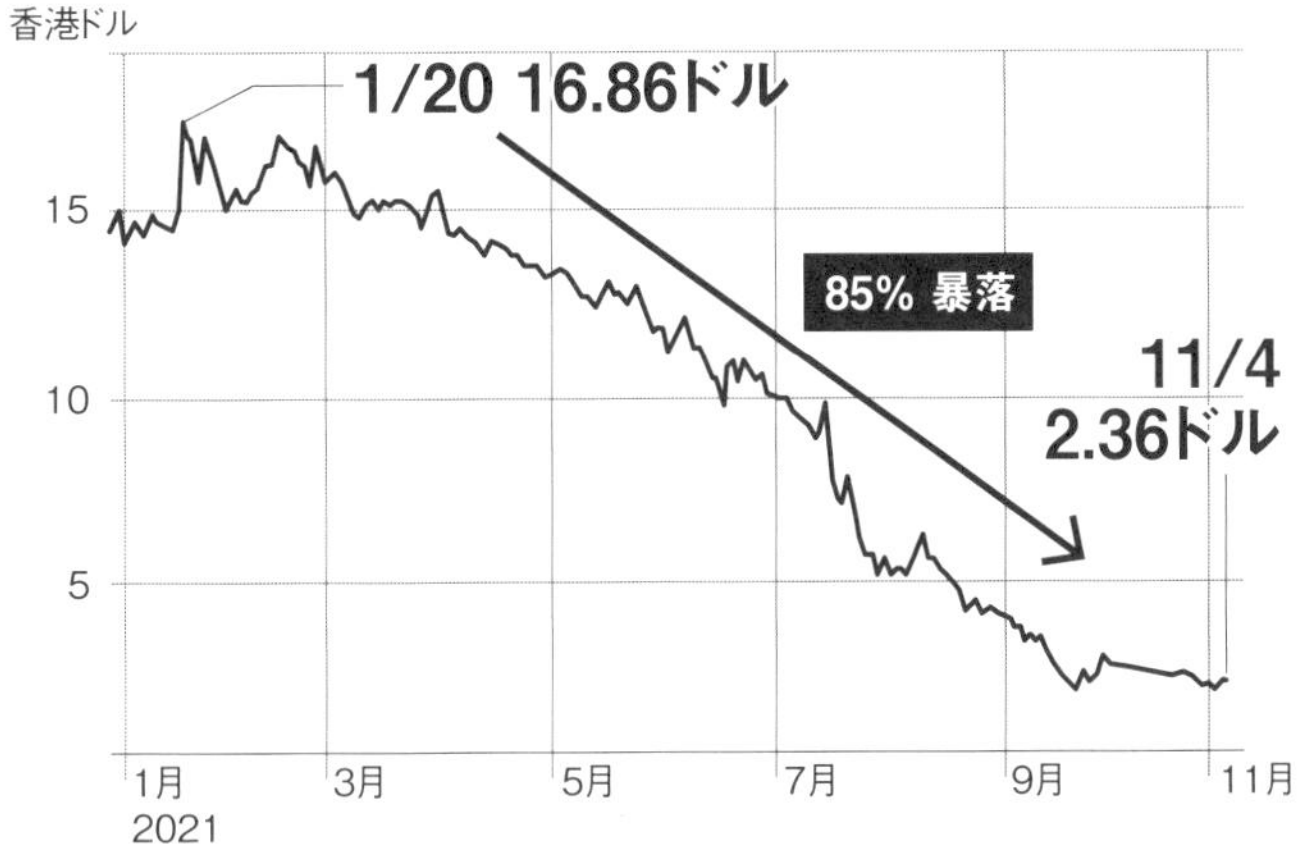

重慶郊外で工事が止まった恒大集団の建設現場

政権に向けた権威づけが進んだ。

習氏は来年の党大会で、江沢民《こうたくみん》、胡錦濤《こきんとう》両氏が受け継いできた「総書記の任期は2期10年」という不文律を破り、3期目に臨むとみられている。決議によって習氏続投に向けた環境整備は仕上げの段階に入った。

採択されたのは「党の100年奮闘の重大な成果と歴史的経験に関する決議」で、全文は後日発表される見通しだ。会議の成果を要約したコミュニケは毛以来の歴代指導者ごとに時代を区切って成果を記述し、習指導部の9年間に半分以上の分量を割いた。反腐敗闘争や、経済や科学技術の発展などの成果を列挙し、習指導部の下で「中国の特色ある社会主義は新時代に入った」と強調。格差を縮め社会全体を豊かにする「共同富裕」を進めるとした。

一方、社会を混乱させた文化大革命や民主化を求める学生に軍が発砲した1989年の天安門事件には触れず、党による統治の正当性を強く打ち出した。

歴史決議は毛沢東時代の1945年、鄧小平《とうしょうへい》時代の81年に続き3回目。45年は結党以来の主導権争いに決着をつけて毛の権威を決定づけ、81年は文化大革命を否定し改革開放への道を開いた。

恒大もアリババも、習近平の言うことを聞くしかない

右は恒大集団創業者の許家印《きょかいん》、左はアリババ創業者のジャック・マー（馬雲《ばうん》）。2021年9月、中国のナンバーワン不動産企業「恒大《こうだい》集団」が破綻危機に陥った。習近平は暴利をむさぼる大企業を許さない。貧乏人を引き上げ中産階級を守り、育てるのが大目標である。

6中全会は来年の下半期に第20回党大会を開催することも決めた。

（2021年11月12日　朝日新聞）

これで、来年2022年の党大会（20大《たい》）に向けて、習近平の権力はますます強固なものになったということだ。

この3カ月ほど前の8月17日、習近平は前の記事にも登場した「共同富裕」という新たな路線を打ち出した。このときの習近平の演説姿の映像はない。ただし10月16日付の中国共産党の理論誌『求是《きゅうぜ》』で、この共同富裕という大政策が発表された。

共同富裕とは、「中国人がみんなで豊かになりましょう」というような甘い考えではない。共同富裕とは、まだ8億人が貧しいまま取り残されている農民層の生活水準を、上に引き上げるということである。

と同時に都市部にいる6億人のうちの1億人は金持ち、あるいは大金持ちになってしまった。日本人と比べ物にならないくらいの、個人資産500億円（30億元。1元17円で計算）の大金持ちが1000万人以上いる。この富裕層になれないで取り残されている都市労働者（下級のサラリーマン）を、もう少しに豊かにしなければいけない。そして彼らを中産階級の分厚い層として、育て、彼らの生活水準を本気で引き上げるというのが共同富裕だ。後でさらに書くが、今、北京や上海の労働者たち（下級のサラリーマン）は、年収200万円（12万元）まできた。月給でいえば16万円である。

中国にはボーナス（特別賞与）という制度はない。ところが中国には不可思議な特別収入が必ずある。どんな家計（家族の収入）も、給料と同じくらいの特別収入を持っているらしい。家族総出で働いて稼いでカネをかき集めて、収入にしている。日本でいえば副収入である。かつ、これに中国共産党の腐敗幹部や警察官が受け取るわいろが山ほどある。このことは、この本ではこれ以上書かない。

中国人全体の平均年収は100万円（6万元）である。しかし、6億人の農民たちの年収は、さらに低くて騒がれた。李克強《リークーチャン》首相は次のように発言した。記事を載せる。

「中国では6億人の月収が千元（1万7000円）」
中国首相発言にネット沸く」

中国の李克強《りこっきょう》首相が5月28日の記者会見で「中国では6億人の月収が1000元（約1万7000円）前後だ」と発言し、中国メディアなどで話題となっている。ネット上では「豊かになった中国で、貧困層がこれほど多いのか」との驚きとともに、「真実を隠さずに公表した」と好意的な意見が多い。

李氏は全国人民代表大会（全人代）閉幕後の会見で「中国は多くの人口を抱える発展途上国で、6億人の中低所得かそれ以下の人々がおり、彼らの平均月収は1000元前後だ」と述べた。共産党機関紙、人民日報の記者に新型コロナウイルスの影響が貧困層に与える影響を問われて回答した。今年は貧困層に再び転落する人々が出るとの見通しも同時に示した。

中国は昨年、1人当たり国内総生産（GDP）が中所得国の水準とされる1万ドル（約110万円）を初めて超えた。北京や上海など大都市では先進国並みの生活も可能だが、農村部を中心に貧困人口が少なくない。李氏が言及した「6億人」は子どもや高齢者など非労働人口も含むとみられる。

一方、6月1日出版の党理論誌「求是」は、2019年4月に習近平国家主席が行った演説を掲載。この中で習氏は「わが国の発展が不均衡で収入の差があるのは正常なことだ。（習政権が目標にする）小康《しょうこう》社会の全面的実現は平均主義ではない」と訴えた。格差の存在を問題視する李氏の発言を打ち消す内容ともいえ、これもネット上で話題になった。香港メディアは両氏の不仲説も伝えた。

（2020年6月2日　東京新聞）

過剰な不動産投資を徹底的に潰す中国政府

前述したとおり、中国では「中産階級（中間階級）をもっともっと育てる」と習近平が主張している。これが、中国の国家体制としての国家目標である。

今度の恒大集団（エバーグランデ）の破綻《はたん》劇で、不動産問題が脚光を浴びた。この問題を追及しながら、中国の住宅政策を説明していく。

結論から言うと、今度の恒大集団のような最大級の住宅デベロッパーが潰れても、同業種の国営企業に合併吸収させる形にする。そして、恒大の住宅購入予定者たちには、これから工事が完成する部屋に、ちゃんと住めるように政府が後押しする。

中国の場合は頭金《あたまきん》（ダウンペイメント）が30％必要だ。かつ住宅ローンは建物が建ち始める3年前から支払いを始めなければならない。だから今度も建設途中で止まってしまった恒大の物件が大騒ぎになっているのである。

ただ私も現地で目撃してびっくりしたのだが、1つの住宅プロジェクトで、おそらく平気で300棟くらいの高層ビルを作る。真ん中に生コン製造塔を作って、いちいちよそから生コンを持ってくるようなことはしない。この本のP17の写真のようなものだ。

全部は見えない。もっと巨大なのだ。とても日本人の想像を超えている。ヨーロッパやアメリカの白人たちでも、この規模の大きさには目を見張る。簡単にいえば50年前の東京の高島平団地のようなものが今、中国全土で建設されている。

その一方で、転売に次ぐ転売という、異常なほどの不動産投機をしている欲ボケの金融バクチ打ちたちには自分で責任を取らせる。そうしたステイク・ホルダー（利害関係者）まで助け出す必要はないと判断しているのだ。つまり、投資家とデベロッパーによる過剰な不動産投資を、中国政府は徹底的に潰していく覚悟である。

また、後ほど紹介するように、巨大産業化した教育業界も一斉に締め付けている。このように中国政府は、目に余るほど暴利をむさぼる企業、産業を叩き潰す動きに出ているの

値段が高すぎて、中国の主要都市ではもはや家を買うことができない

中国の住宅価格ランキングTOP10（2021年8月）

順位	都市	価格（1㎡当たり）	前月比（%）	前年比（%）
1	深圳（広東省）※	9万元（153万円＝14万ドル）	2.38	34.25
2	上海	6.8万元（115万円＝10万ドル）	0.47	10.11
3	北京	6.5万元（110万円＝10万ドル）	-7.90	11.63
4	厦門（福建省）	5.1万元（86万円＝7.8万ドル）	-2.87	6.61
5	広州（広東省）	4.6万元（78万円＝7.1万ドル）	3.63	24.61
6	杭州（浙江省）	3.9万元（66万円＝6万ドル）	8.45	25.83
7	三亜（海南省）	3.7万元（62万円＝5.7万ドル）	0.29	2.90
8	南京（江蘇省）	3.5万元（59万円＝5.4万ドル）	3.79	13.15
9	福州（福建省）	2.7万元（45万円＝4万ドル）	1.69	5.67
10	天津	2.6万元（44万円＝4万ドル）	2.31	2.50

※深圳のみ2021年3月のデータ。1元＝17円、1ドル＝110円で計算　出所：中国房価行情網

中国では大厦《ダーシャ》（高層住居）は床面積100㎡が基準。日本はその2/3（66㎡）が基準。北京、上海は一戸70万円くらいである。

だ。そうしないと、社会の不満が収まらないことを肌で感じているからだ。そのため、そうした締め付けが自国経済に打撃を与えて、100兆円、200兆円の大損が生じようとも、そんなものには、はなも引っかけない。

詳しくは第2章で解説するが、中国政府はアリババのアリペイやテンセントのウィーチャットペイを会社ごと乗っ取り、これを「デジタル人民元」の仕組みの中に取り込んでいく。つまり、中国のビッグテックや過剰な欲望行動に走る投資家たちを、軒並み叩き潰していくというのが習近平政権の共同富裕の狙いなのである。

中国の中産階級を大切に守り、さらに拡大することこそが国家の一番大事な方針だということを、中国政府は腹の底からわかっているのだ。

日本の左翼系知識人（私もそうだが）は、貧乏な人々（社会的弱者）を助けることばかりを言う。そのように言うことが自分たちの正義だと思い込んで「社会的弱者」を神棚《かみだな》に置いた。それがいけなかった。

日本は、貧困層どころか中産階級（平均的サラリーマン層）の没落が激しくて、それどころではなくなってきた。実際には今度の10月31日の総選挙の結果を見ても、日本の政治家たちは中産階級のことを考えていない。今、日本で一番苦しんでいる中産階級こそを、大事にしなければいけないのだ。

今の日本の大企業のサラリーマンたちですら、下手をすれば貧困層に転落しかねない。非正規雇用の低所得者層の生活は、もっとひどいことになっている。ただし、これは実は日本だけではない。アメリカ、ヨーロッパの現実でもあるのだ。

習近平の柔らかい中国型の社会統制

次の記事に書いてあるように、習近平が2021年8月17日の中国共産党中央財経委員会で述べた「中間階級を大事にしなければならない」という言葉が、今の中国を理解するうえで、最も重要なキーワードである。記事を載せる。

「中間層の拡大へ、分配強化打ち出す
習氏の「共同富裕」演説を公表」

中国共産党の理論誌「求是《きゅうぜ》」は、2021年10月16日付の最新号で、共に豊かになる社会を目指す「共同富裕」に関する習近平（シーチンピン）国家主席の演説を掲載した。「共同富裕は社会主義の本質的要求であり、中国式現代化の特徴だ」としたうえで、中間所得層の拡大や税制改革に取り組むとした。

習氏は、「共同富裕」の実現を目標に掲げるが、具体策が明らかになるのは初めて。「高すぎる所得を合理的に調整する」とし、所得税制度の改善を掲げた。累進課税強化が念頭にあるとみられる。中国では導入されていない固定資産税（住宅課税）について「立法化に向けた改革を積極的に進める」とし、試験導入する考えを打ち出した。消費税の適用範囲拡大も触れたほか、「第3次配分」と位置づける（大企業と大金持ちからの）寄付制度の充実へ公益慈善事業の税優遇も図るとした。

一方、中間所得層の底上げや拡大に向けては、中小企業の支援や技術者の育成などのほか、独占業界の改革も挙げた。寡占化《かせん》が進んだＩＴ業界などへの締め付けはすでに始まっている。家庭の教育負担の軽減にも努めるとし、非営利化を進めた学習塾改革などはさらに強まりそうだ。

習氏は演説で「一部の国で貧富の差が拡大して中間階級が落ち込み、政治が分極化している。我が国は両極化を断固防ぎ、社会の調和と安定を図らねばならない」と強

これが共同富裕の大きな骨格である

【発展のバランスを図る】	【中間所得層の規模拡大】
○独占企業が存在する業界の改革を加速	○高等教育の向上、社会のニーズへの適応
○金融・不動産と実体経済の調和を推進	○技能人材の育成、賃金の改善
【高所得者への対策】	**【公共サービスの均等化】**
○未導入の固定資産税の立法化へ試験導入	○家庭の教育負担を軽減
○消費税の適用範囲の拡大	○都市・農村の賃金・待遇格差を縮小
○公益慈善事業への税優遇政策の充実（第3次配分）	○住宅は投資対象ではないという方針を堅持

↓

・即座に取り繕うように「第3次配分」に乗り出したビッグテック

【企業による取り組み】	
テンセント	社会問題解決に1000億元（1兆7000億円）を投資
アリババ	ギグワーカー（単発の仕事請負）支援などに2025年までに1000億元投資
京東集団	社員へのボーナスを2カ月分から4カ月分に増額
【個人による寄付】	
雷軍シャオミーCEO	144億元分の自社株を基金に寄付
張一鳴バイトダンス創業者	教育基金に5億元寄付
黄峥ピンドゥォドゥォ創業者	大学に5億ドル寄付

調した。「2035年までに基本的な公共サービスを均等化させる」「今世紀半ばまでに全体の共同富裕を基本的に実現する」とスケジュールも示した。

ただし、政府が過度に市民社会に介入することや急速に改革を進めることには慎重な姿勢も示している。「政府は何でも引き受けるわけにはいかない。過度な保障で怠け者を飼うわなに陥ることは防ぐ」としたほか、「裕福の程度は、時間的にも地域的にも一定の差がある。足並みをそろえることはできず、動きに応じて発展を進める」とも述べた。

演説は、8月17日に重要会議である中央財経委員会で行われた。議論の内容は公表済みだったが、習氏の発言はほとんど明らかにされていなかった。

（2021年10月17日　朝日新聞　※傍点引用者）


ほら、このようにはっきりと書いてある。習近平は本気でこの大政策を実行している。一言で言えば、「中間階級を育て、その層をぶ厚くする」ということだ。この考えは、世界中の社会主義者たちの、「とにかく貧困層を大切にする」という考えではない。

中国はさらに一歩前に進んだ。

グサリと本当のことを一言で言えば、「人間はみな平等」という思想を今の中国はかなぐり捨ててしまっているのである。このことを私たちは分かるべきなのだ。平等であるべきは、選挙の1票とか公共インフラを利用する権利である。これは国家体制の権利における平等であって、人間の能力における平等などというものは存在しないのである。

今や中国人は腹の底からこのことを分かっている。これを別の言葉で言うと、「新家父長制（ネオ・パトリアーキー）」という思想の導入である。新家父長制の詳細はP68以降で説明する。

前の新聞記事で目を引くのは、ここに登場した「第3次配分」という政策である。「大企業と大金持ちが進んで（真実はかなり強引だが）寄付をするように」と定めている。寄付というものは自発的であるべきなのだが、ここではかなり恐ろしい感じがする。おそらく政府が脅し上げてやらせる「自発的寄付」（笑）であろう。

これによりビッグテック企業たちが震え上がって、中国政府の顔色を窺って、慌てふためいて我先に「資本の再分配」、すなわち大企業や大金持ちたちが自ら進んで財産を貧しい市町村の教育基金などに差し出す行動に出た。P29に載せた。だから、共産党政府が直接取り上げるとか供出命令で徴発するという形はとらない。似たようなものだが。これが習近平の柔らかい中国型の社会統制である。

異様な不動産価格の高騰と恒大の破綻問題の行方

普通の中国人たちにとって、きれいな住む家が買えないという問題は、本当に深刻である。投機による異様な不動産価格の高騰に対する国民の不安と不満が、頂点にまで高まっていた。P25の表を見ればわかるように、中国の主要都市の不動産価格は、もはや庶民の手の届く額ではない。

ここで9月から起きたのが、恒大集団の破綻問題である。記事を載せる。

「中国の不動産熱狂に異変、大手が経営危機　広がる動揺、習氏どう動く」

中国の不動産大手・中国恒大集団が経営危機に陥っている。中国の不動産バブルを背景に成長してきたが、強気な投資と事業の多角化が裏目に出て巨額の負債を抱える。

販売金額TOP10不動産企業

順位	企業名	販売金額	順位	企業名	販売面積
1	碧桂園（仏山）	6200億元（10兆5000億円）	1	碧桂園（仏山）	6700万㎡
2	万科（深圳）	4800億元（8兆2000億円）	2	恒大（深圳）	5600万㎡
3	融創中国（天津）	4600億元（7兆8000億円）	3	融創中国（天津）	3200万㎡
4	恒大（深圳）	4500億元（7兆7000億円）	4	万科（深圳）	2900万㎡
5	保利発展（広州）	4100億元（7兆円）	5	保利発展（広州）	2500万㎡
6	中海地産（香港）	2800億元（4兆8000億円）	6	緑地控股（上海）	1900万㎡
7	緑城中国（杭州）	2600億元（4兆4000億円）	7	新城控股（上海）	1600万㎡
8	招商蛇口（深圳）	2400億元（4兆1000億円）	8	金科集団（重慶）	1500万㎡
9	緑地控股（上海）	2300億元（4兆円）	9	中海地産（香港）	1400万㎡
10	華潤置地（香港）	2300億元（4兆円）	10	世茂集団（上海）	1200万㎡

出所：中華網 2021年1〜9月
■は3つのレッドラインの内、2つが引っかかっている企業
■は3つのレッドラインの内、1つが引っかかっている企業

中国政府が定めた3つのレッドライン
①総資産に対する負債比率が70%以下
②自己資本に対する負債比率が100%以下
③短期負債を上回る現金の保有

事業の売却などで資金繰り改善を急ぐが先行きは厳しく、破綻すれば中国経済に与える影響は避けられない見通しだ。

「会社は未曽有の苦境に直面しているが、考えつくすべての手段で正常な経営を回復する」。恒大集団は9月13日夜、緊急声明を出した。経営が急速に悪化しているとの見方が強まる中、再建していく姿勢を強調した。

ロイター通信によると、同日に深セン市の本社に同社の理財《りざい》商品の償還《しょうかん》を求め投資家約100人が押しかけた。

恒大集団は国が所有する土地を仕入れてマンション開発を進め、中国の不動産バブルを追い風に急成長。2020年に物件販売面積で2位になった。不動産以外にも、映画制作や自動車製造、ヘルスケアなど幅広く事業を展開。傘下のサッカーチーム、広州FC（旧広州恒大）は2度のアジア王者に輝く強豪で、元イタリア代表DFのカンナバロ氏が監督を務める。

ただ、右肩上がりの不動産市場での利益を見込んで土地の仕入れなど強気の投資を続けたほか、事業拡大で借り入れが増加。2021年6月末時点で有利子負債は5700億元（約9兆7千億円）に上り、銀行からの融資の返済が難しくなり、資金繰りが厳しくなった。

傘下企業の株式を売却するなどして資金集めに奔走してきたが、信用不安は急速に広がっている。7月には銀行から口座の資産を凍結されたり、下請けの工事会社から代金の未払いで提訴されたりするなど、トラブルが続発。さらに習近平指導部が過熱する不動産への投機を制限するなか、資金を回収しようと主力の不動産開発で物件を値引きして販売。今年上半期の不動産事業は40億元（約680億円）の純損失に陥ったほか、8月は販売の平均単価が前年比で3割落ち込むなど、悪循環に陥っている。

日本の金融関係者は「恒大集団が破綻すれば、債権者や銀行、工事会社などに与える影響はかなり大きい」と警戒する。中国政府も同社の経営危機が金融システムのリスクになることを懸念。中国人民銀行などは8月、恒大集団の幹部に対し、債務リスクを解消して不動産市場と金融の安定を維持するよう異例の指示を出した。

（2021年9月15日　朝日新聞）

その後、恒大集団はどうにかギリギリで、社債の利払いを行ってきた。同社の現在の状況は次の記事の通りである。

「中国恒大「180超の建設プロジェクト引き渡し完了」発表」

経営危機に陥っている中国の不動産大手「恒大集団」が、4か月で180を超す建設プロジェクトについてオーナーへの引き渡しを完了したと明らかにした。債務不履行への懸念を払拭する狙いがあるとみられる。

これは、「恒大集団」が3日、通信アプリ「ウィーチャット」のアカウント上で発表したもの。2021年7月から10月にかけて手がけた184の建設プロジェクトについて、5万7000人を超えるオーナーへの引き渡しを完了したとしている。各地のプロジェクトの写真や動画を公表し、「物件の引き渡しを最優先事項にしてきた」と強調した。

「恒大」をめぐっては、子会社の株式売却が実現しなかったほか、今月8日にも社債の利払いの期日を迎えるなど、資金繰りは引き続き厳しい状態とみられるが、今回の発表で債務不履行への懸念を払拭する狙いがあるとみられる。

（2021年11月3日　TBSニュース）

都市で暮らす、貧しいわけではないが裕福ではない中産階級は大厦《ダーシャ》（タワーレジデンス）に住めない。まだまだ、ボロくて古い住宅に住んでいる。しかし習近平政権は、中国全土で物凄い勢いで建てられ続けているタワーレジデンス（30階建てぐらい）に住めるようにする政策をとろうとしている。これが共同富裕である。

一般の中国人が手に入らないような、今の異常な中国の不動産バブルは冷やさなければいけない。ただし、叩き潰してはいけない。おそらく、今より2割くらい安い住宅価格に下げる政策をとるだろう。

中産階級の上層のほぼ全員が、都市部では高層住宅（タワーレジデンス）に住んでいる。彼らが住んでいる住宅は1億円する。中から上の中国人が住む1億円（100万ドル。600万元）の高層住宅の床面積は、100㎡（30坪）とだいたい決まっている。

日本の場合、新築で大都市の中心部に近い50階建て高層住宅の価格は7000万円である。しかも面積は、平均で70㎡しかない。これが真実であり現実である。日本は治安が安定して、犯罪が少なく、空気もきれいで社会インフラ（交通機関など）が整っているきれいな国だ。だが、中国にとっくに追い抜かれているのだ。その現実を、私たちは直視しなければならない。

「影子銀行《インツインハン》」と社債という時限爆弾

大騒ぎになっている中国恒大集団の経営危機の裏側で進んでいる、本当に深刻な問題は、恒大が発行《イシュー》した借金証書である社債（コーポレット・ボンド）の売り買いの、闇《やみ》市場の存在である。企業が資金を銀行からでなく直接市場（すなわち金持ちたち）から調達するのを、直接金融という。これを自分で債券《さいけん》を発行する形で売る。

借金を引き受けた人は、普通は債権者《クレジッター》であるが、これが証券《ビル》（紙切れ）になっていると、転々譲渡する。株式《ストック》と似ているけれども、債券は別である。この社債の中古品を売り買いする市場がある。これが中国の闇金融の世界だ。この闇金融は、中国の都市の路地裏の奥深くのところでうごめいている。そこでとんでもない高い利回り《イールド》で、恒大集団の社債も売り買いされているのだ。さらには、これらの債券を集めて組み立てて《コンポジット》組成された金融商品（理財《りざい》商品）も売り買いされている。

この中国の闇金融のことを「影子銀行《インツインハン》」という。これは英語のシャドー・バンキングからきた言葉で、銀行登録していない金融業者たちの総称である。

景気がいい国では資金の融通と需要が激しいので、闇金融がはびこる。とくに今の中国は激しく成長しているので、この影子銀行が繁盛している。中国の場合、古くから店や工場が密集した奥の路地裏で、この独特の金融業が根を張っている。この闇市場の実態は、なかなか外国人にはわからない。

そうした闇金融では、年率6％の表面金利（フェイス・ヴァリュー）の中国の大企業の社債も売られているのだが、今の中国人の投資家たちは、とてもそんなちっぽけな利率では満足しない。中古市場で転売が繰り返された社債が、年率70％、80％という金融商品として、売り買いされている。

潰れかかっている恒大の場合、もっとリスクが大きいので、すでにその社債を投げ捨てた連中から、年率700％もの利回りに膨らんだ超《ちょう》バクチ商品として取り引きされる。恒大が完全に破綻したら、紙クズになるので大損する。

ここまで中国の影子銀行は過熱して沸騰している。この中国の闇金融市場はＮＹ《ニューヨーク》の金融市場に直結しているようだ。それで恒大問題でアメリカの投資家（金持ち）たちが震え上がっている。本当にアメリカの白人たちにも、大損の打撃が行くようだ。恒大の株価は、

P17のチャートの通り、すでに85％下落している（2・36香港ドル）。

恒大の社債は安くて、投げ売りされているから、それを購入した者にとっては、利回りが激しく跳ね上がっている。このリスクは例えれば、フグの刺身にフグの毒が入っているようなものだ。おいしいと言えば限りなくおいしい。発行した企業が倒産しない限り、元利ともにきちんと償還されるから大儲けだ。

この社債と金利の動きこそが、資本主義の根幹だ。現在の世界資本主義の一番の心配事は、株式市場での株価の上下（乱高下）ではない。大企業や、経営が常に危険なベンチャー企業などが発行している社債を中心に、金融市場が動いていることである。債券《ボンド》は株式の100倍くらいの取引量がある。その親玉が、国（政府）が発行している国債（ナショナル・ボンド）である。

ハイリスク・ハイリターンという言葉がある通り、危ない社債を買うと、当然大きなリスクも引き受けなければいけない。金持ち階級は、どこの国でも驚くほど高利回りの商品に手を出したがる。

その分、社債がバクチ証券化（ジャンク債化《ボンド》）しているので、一気に大損することがよくあるのだ。これらのことについては、私の最新刊の金融本である『コロナ対策経済で大不況に突入する世界』（2021年11月刊、祥伝社）を読んでください。

恒大問題は今後どうなっていくのか？

恒大の最新の現状は次の通りである。記事を載せる。

「中国恒大集団がデフォルト回避　会長の豪邸、プライベートジェットも売却」

経営危機にある中国不動産大手の中国恒大集団は、11月11日が期限だった米ドル建て社債の1億4800万ドル（約169億円）の利払いを実施し、デフォルト（債務不履行）を回避した。米ブルームバーグ通信などが伝えた。利払い期限は続々と迫っており、同社は保有資産の売却を急いでいる。

香港メディアは10日、創業者の許家印《きょかいん》会長が香港の豪邸（市場価値約116億円）をオリックスの抵当に入れたと報じた。中国の経済紙によると、許氏は10月にも自宅を抵当に入れて2億4700万元（約43億円）を借りたという。

恒大はプライベートジェット2機（約57億円）や、ウェブ映像製作会社「恒騰《ハンテン・》網絡《ネットワークス》」の株式計5億株（約163億円）などを次々と売却し、債務の返済に備えている。

ロイター通信などによると、恒大が抱える負債は3000億ドル（約34兆円）で、うちドル建て社債が190億ドル（約2兆円）に上る。米連邦準備制度理事会（FRB）が11月8日、「中国の不動産の問題が世界的なリスクを引き起こしかねない」と指摘したことで、再び恒大のデフォルト懸念が高まっていた。

（2021年11月11日　東京新聞）


「はじめに」の⑷に書いた通り、中国政府の狙いは「経営危機の「恒大集団」を始め最大手不動産デベロッパーを、うまく国家の住宅政策に取り込んだ。恒大は同業種の国営企業が吸収合併《マージャー・アンド・リクイジション》。過熱した住宅価格も2割下げる。そして、14億人の全ての民衆（国民）に100㎡の高層住宅を持たせる（買えるようにする）」である。

繰り返すが、中国政府としては実質破綻している恒大の経営陣と大株主《おお》と債権者たち、ステイク・ホールダー（主要な利害関係人）たちに、責任を全て取らせる。だから恒大の経営陣は全ての個人資産までも供出させられる。ＣＥＯの許家印は評価額で３兆円（１８００億元）の恒大株式を含めた全財産を供出させられた。

しかし、恒大のタワーレジデンスの部屋を、あらかじめ予約して買っていた人たちには、ストップしている分の工事を買収し、合併した企業が完成させ、それぞれの権利者に契約通り住宅を供給する。これで、中国民衆の社会的な不安な心理は払拭される。前のほうで書いたが、住宅ローンは建物が建つ３年前から、支払いが始まるようだ。

中国の住宅バブルを叩き潰してはいけない

やはりここで大事なのは、異様に過熱した中国の住宅バブルを、叩き潰してはいけない。叩き潰したら中国の国家体制に打撃が与えられる。中国の国有銀行と大きな民間銀行たちが、恐ろしい破綻の危機に陥るということだ。

なぜなら中国は、「土地本位《ほんい》制資本主義」と呼ばれるくらいに、この50年間の改革開放経済で、土地と住宅（高層アパート）の値段を、ガンガン吊り上げることを中心に、中国の高度経済成長を維持してきた。先に高層住宅や一戸建ての豪華な住宅を手に入れた者たちが、人生の成功者として周りから認められる者たちになった。

それは、後述する万元戸（まんげんこ）から始まった。百姓（農民）たちの中の能力のある気の利いたものたちから、豊かな層の中国人が出現した。今から考えれば、たったの1万元である。1万元は、現在はわずか17万円だ。

1980年代の初めから、万元戸は生まれた。私はその新聞記事を見て驚いた記憶がある。中国に新しい金持ち階級が生まれて、それを毛沢東主義者たちが、「走資派《そうしは》」（資本主義に走る者たち）と激しく非難する時代が続いた。走資派の代表は鄧小平《とうしょうへい》だった。鄧小平が中国を豊かにしたのである。

鄧小平が改革開放ののろしを上げて宣言したのは、1978年12月18日（三中全会《さんちゅうぜんかい》で）である。鄧小平が中国を豊かな国にして中国民衆を貧乏状態から立ち直らせて、民衆に豊かな暮らしを保証すると決めたことが、今の中国にとってものすごく重要なことなのだ。

私がこういう言い方をすると石平《せきへい》氏は「共産党が偉いのではない。中国民衆がそれぞれ頑張ったからだ」と言うけれど、やはり指導者がしっかりしている国が偉いのである。

習近平が宣言した「共同富裕」政策（8月17日）は、実際に住宅政策で全ての中国人に良好な住宅を与えるというところまで来た。都市部においては、現在は30階建てくらいだが、やがて中国は50階建ての高層住居ビルを中国全土に作るだろう。

私は大風呂敷を広げて、10年くらい前の中国本にも「中国は新疆ウイグル自治区にも50階建ての住宅用の高層ビルを1万棟建てるだろう」と書いた。これだけでも計算したら1棟当たり800戸（住宅）だから、1万棟で800万戸である。1家族を4人としたら3200万人分だ。

新疆ウイグル自治区の現在の人口は3000万人である。このうち、ウイグル族が1200万人、漢民族1600万人くらい、残りの少数民族が200万人くらいだろう。ということは、私がどんぶり勘定で予測した50階建て1万棟の高層住居ビルでピッタリ間に合うのである。

これらの高層ビルを、タクラマカン砂漠（タリム盆地）全体の都市に分散して建てればちょうどいい。水さえ山岳地帯から引いてきさえすれば、いくらでも農業はできる。

私は10年前に新疆ウイグル自治区に行った。省都の烏魯木斉《ウルムチ》やトルファン地方を調査して回った。ウイグル人たちの暴動（2009年）があった直後である。西のはずれのカシュガルにまで行けば、まだ8割くらいはウイグル人である。しかし、他の地域では漢民族のほうが圧倒的に多くなっていた。

私が中国研究を始めた20年前から、飛行機で沿岸部（東シナ海側）を飛ぶと、眼下にすでに30階建てくらいの立派なビル群が果てしなくどこまでも建ち並んでいた。それに度肝を抜かれた。一言で言えば、それの内陸版で、中国全土に今まさに中国の不動産業の高層住宅の建築が進んでいるのである。

この中国民衆の「自分の立派な住宅が欲しい」という情熱を、誰も邪魔することはできない。中国の場合は日本の狂乱地価、すなわち１９８９年の住宅バブルのような、一過性でドカンと破裂してしまうものとして終わるわけがない。

中国の住宅バブルは、そのまま国境線を越えて中央アジアから中東、旧東ヨーロッパのほうまでつながっていく。なぜなら、そのために一帯一路で中央幹線道路を帯《ベルト》のように作り、同じく鉄道網をそのそばに何本も引く形で進んでいるからである。

日本人は東シナ海側、すなわち西太平洋（ウエスト・パック）から見た中国のことしか、わかっていない。中国は、ユーラシア大陸の内陸部にどこまでも果てしなく広大に広がる〝巨大帝国〟なのである。

標的となった大手学習塾チェーン

ここからは「はじめに」の(3)の「習近平は、勉強させ過ぎ（過酷な受験勉強）の子供たちを救出した。精鋭《せいえい》国際教育集団（OSIEG）という巨大教育産業（全国学習塾チェーン）を叩き潰して倒産させた。ニューヨーク上場株式消滅。ゲーム・アニメ・動画も同じく弾圧した」について説明していく。

習近平が掲げた「共同富裕」（貧しい層を底上げする）という考え方の一環として、攻撃の標的となったのが学習塾産業である。

中国の受験戦争は過熱化する一方だった。あまりにもヒドいガリ勉状態が何十年も続いていた。とりわけ都市部における金持ち家庭の子供たちは、学校の勉強のみならず塾通いもしなければならない。そうした過度な勉強の押し付けが、学習塾チェーンの隆盛となって表れていた。

受験戦争を勝ち抜いてほしいという親心に付け込んで、学習塾産業は授業料が高騰し、とても普通の家庭では払えなくなっていた。学習産業が儲けすぎているという実態もある。

中国の子供たちは授業中でもスマホゲームをやり続ける。全国の親は、これを禁止する政府の政策を支持した

2021年8月30日。中国政府は、18歳未満の未成年者のオンラインゲームは、週末と祝日の1日1時間だけに制限した。授業中でもゲームにハマる中国の子供たち。日本よりゲーム中毒が多い。

中国政府は一気に大手学習塾チェーンの精鋭国際教育集団らを叩き潰しに入った

北京を中心とする巨大な学習塾チェーンの「巨人教育」は2021年8月31日に倒産した。親会社の精鋭はNY上場廃止に。親たちは先に払った授業料の返還を求めて塾に殺到した。中国政府はこのレベルのトラブルなど気にも留めない。塾と宿題を減らす「双減政策」を本気で進めていく。

この20年くらい、ずっと騒がれ続けてきた。親たちにしてみても、子どもがかわいそうだというところまで来ていた。

そこへ指導者の習近平が「もうこれ以上塾で勉強させるな」と、公然と宣言したのだから、親たちも泣いて喜んだ。上のほうの特権層を除いて。中国政府は大手の学習塾チェーンを一気に叩き潰した。その代表がP49に載せた学習塾チェーンの「巨人教育」である。

8月31日に倒産した。その親会社である精鋭国際教育集団（ワンスマート・インターナショナル・エデュケーション・グループ）は、ニューヨーク証券取引所（NYSE）に上場していた。それほどの巨大教育産業企業だった。

この会社の株価は暴落し続け、10月には年初来90％減の0・4ドルとなり、取引停止銘柄（整理）ポストに入れられた。もうすぐ上場廃止になる。中国政府は、自国の大企業が1つ倒産することによる損失など、まったく気にしない。第2章で説明するが、ビットコインを完全に禁止して追放したことで、100兆円（1兆ドル）の損失を受けたことなど、中国経済への打撃だとも思わない。

それよりも、苦しんでいる中産階級を助けるほうが先決だからだ。ましてや、ニューヨーク株式市場に上場していたのだから、株価暴落で直接損したのは、この株を買っていた

「ゲームとアニメ（動漫《どうまん》）を子供たちにやらせるな」「学習塾産業を叩き潰せ」と習近平が号令を出した

暴落した精鋭国際教育集団の株価

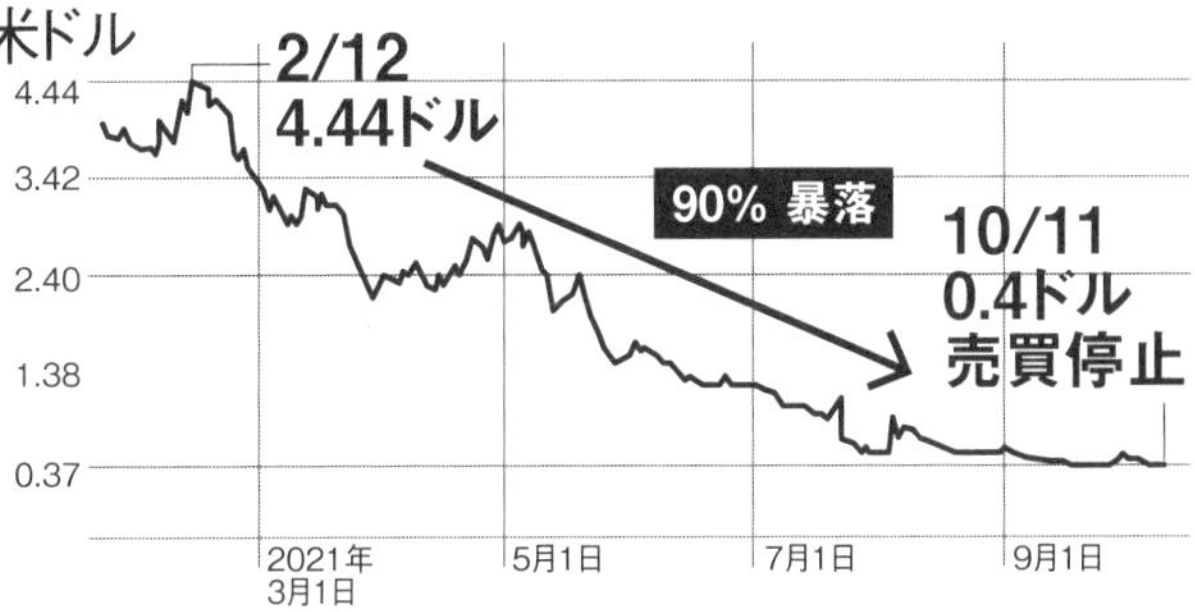

大手教育産業の精鋭国際教育は政府に潰された。

アメリカ人たちである。及びチャイニーズ・アメリカン（中国系アメリカ人）というアメリカ国籍なのだが、元中国人たちである。

「双減政策」と「家庭教育促進法」の真の目的

このように、国家が命令して大手学習塾チェーンを強制的に閉鎖させると、日本では「中国共産党による民衆統制がまた起きた」と伝えられる。しかし、中国国民自身が「あまりにも厳しい受験勉強をさせるな」「塾に高い授業料を払うなんてごめんだ」「もっと子供を自由に遊ばせろ」と叫んでいるからこそ、中国政府は、塾潰しに動いたのである。

さらに習近平政権は、小中学校の教育現場と家庭にも厳しい命令を下した。この塾潰しとセットになっているのが、宿題を減らすことである。2021年7月に、中国語で塾と宿題を減らすという意味を持つ「双減政策《シュアンジエン》」が行政命令として出された。

「金持ちの子も貧乏人の子も、平等に学校の授業時間内だけで勉強を終わらせろ」「受験勉強の競争は、学校の授業の内容だけで行え」「塾へなど通う必要はない」ということだ。

P53に載せた表にある通り、「小学校3年生から6年生の宿題は60分以内。中学生は90分

「双減《そうげん》政策」とは、子供たちの塾と宿題の2つの負担を減らすこと

双減政策の主な内容

○宿題、テストについて

小学1、2年生 →宿題を出すのは禁止、ペーパーテストなし

小学3～6年生 →宿題は1時間以内に終えられる量に抑制。テストは期末のみ

中学生 →宿題は90分以内に終えられる量に抑制。テストは中間、期末のみ

○塾について

- 新たな学習塾の開設を禁止する
- 小学校入学前の入塾を禁止する
- 週末、祝日、夏・冬休みの授業を禁止する

中国の学生の試験の様子

以内に終えられる量とする」とさえ書いている。

高校生で能力のある人間は、「死ぬほど勉強しろ」ということだろう。

こうした子供を守ることを法律として具体化したのが、10月23日に成立した「家庭教育促進法」だ。この法律の重要な点は、子供がインターネットのゲームにハマりすぎないよう、親が子供のスポーツや休憩の時間をしっかり管理するよう定めていることである。私は2019年の深圳への調査旅行で目の当たりにし、P59に写真も載せたが、中国にも、日本語で言う「ネトゲ廃人《はいじん》」が山のように存在している。

まして、P48の写真にもあるように、スマホで、いつでもどこでもゲームができてしまう。だから、勉強とネットゲームのいずれか、あるいは双方のやりすぎが、中国の子供、つまり中国の未来にとって、とんでもなくマイナスになることを、習近平政権はよく分かっている。だから、上から抑えつけることに決めた。

だが、このことは中国だけの問題ではない。今や世界的な問題だ。子供たちが眉毛を釣り上げてスマホのゲームとアニメにのめり込んで、おかしくなっている現実に対して、途方に暮れている日本のお母さんたちとまったく同じだ。世界中どこの国も同じだ。

「アニメやゲームにハマり込んでいる子どもたちを救い出せ」という親たちの願いに、習近平政権は本気で応えている。だから、中国国民に圧倒的に支持されているのだ。

中国大嫌いで反共《はんきょう》ばっかり言っている人たちは、いい加減自分の頭を切り替えなければならない。中国の現実をもっと勉強したらどうですか。

習近平は母親たちの代わりに子供たちに説教する。

「アニメ、ゲームに熱中しすぎるな。学習塾で高い金を払って勉強する制度を私は叩き壊す。教師たちは、子供たちに宿題をやらせすぎるな。学校で習ったことだけで十分なように、教育現場は改善せよ。地方の貧困問題は、受験勉強を勝ち抜くのに有利な都市部のエリート層が、そのまま有利に出世競争を駆け上がることが原因である」と言っている。

共同富裕のスローガンがなぜ、教育問題と大きく関係するかと言うと、まさしく都市部の金持ち層の子供が、いい学校にたくさん受かるような実態ができているからだ。この問題について、高層住宅に住んでいる者たちに、都会のいい学校に入る資格が与えられているという、中国の隠された現実があることが、(4)の恒大集団の破綻問題で明るみに出た。

以下に記事を載せる。

「食事のバランスや睡眠時間、家庭教育に注文
中国全人代で促進法成立」

中国の全国人民代表大会（全人代《ぜんじんだい》、国会に相当）常務委員会は、10月23日、家庭内教育のあり方を定めた「家庭教育促進法」を可決した。適切な食事や睡眠など生活習慣にも言及した内容で、学力偏重の教育姿勢を是正し、子育て負担を軽減する狙いもあるとみられる。

国営新華社《しんかしゃ》通信によると、同法では、家庭内の教育の責任は保護者にあるとして、子どもにバランスの取れた食事や十分な睡眠を与え、心身の健康を確保しなくてはいけないと明記。道徳や順法精神を重視した「厳しくも思いやりのある」教育を求めている。

また、営利目的の子育て指導を禁じる一方、家庭内教育のために寄付やボランティア行為をした個人や組織には税を優遇するとも定めた。地方政府には、オンライン子育てスクールの設置など保護者支援の充実を要求している。

中国では過酷な受験戦争が子どもや保護者の大きな負担となっており、少子化の原

因になっているとの見方がある。政府はすでに学習塾の非営利化や宿題規制を打ち出していたが、さらに家庭内教育のあり方にも注文をつけた形だ。

全人代常務委員会法制《ほうせい》工作委員会の報道官は、今月18日、立法の目的について「保護者の心配を解決することだ」と語った。

（2021年10月25日　朝日新聞）

思い返せば、日本でも30年ほど前に同じようなことがあった。1985年に発売されたファミコンのスーパーマリオ（任天堂）と、86年のドラゴンクエスト（旧エニックス社）が、爆発的に全国の子供たちに受けた。

その時、小中学生だった子供の大半が、日本全国でゲームに狂った。スーパーマリオの世界にどっぷりつかって、「息を呑むような全く新しい世界が始まった」とみんなで熱狂した。女の子たちまで2、3割は同調したようだ。

それで母親たちが困り果てて、何とかしてくれと学校や国に言ったが、日本国政府は何の対策も立てなかった。「学校にゲームのカセットを持ち込ませない」「ゲームのカセットは没収する」という学校ごとの判断での規制が、日本の教育現場で繰り広げられていた。

過剰な競争「内巻《ネイジュアン》」に疲れた若者は、「躺平族《タンピンズ》」（寝そべり族）になった。私が深圳のドヤ街で見た“ネトゲ廃人”とは別の新人種だ

時間がないため自転車に乗りながらラーメンを食べ、パソコンのキーボードを打つという、まさに「内巻」の典型である清華《せいか》大学生の様子。

競争なんてや～めた。寝そべり族

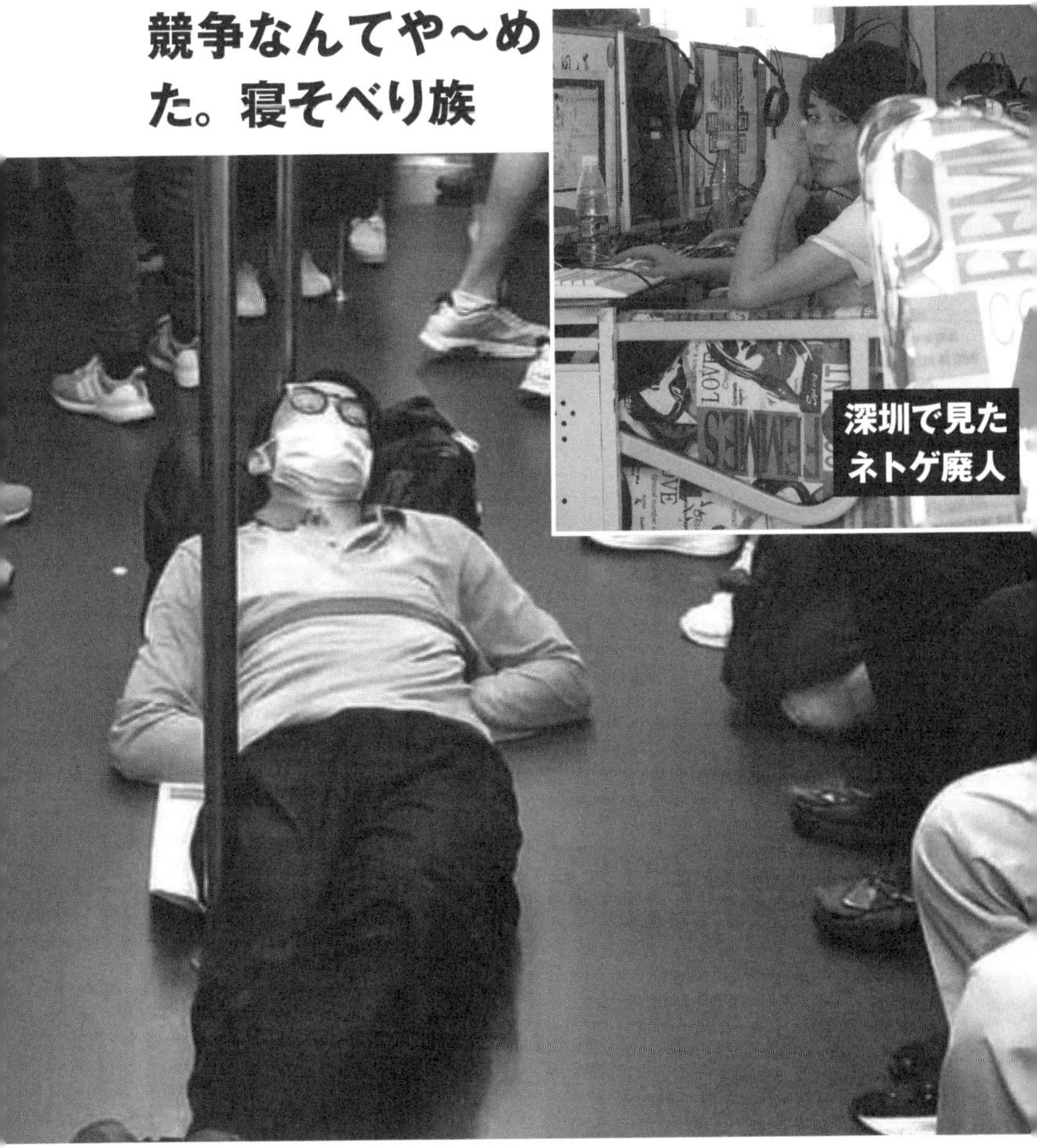

深圳で見たネトゲ廃人

競争社会がイヤになったら寝るしかない。私の息子と一緒だ。もはやネットゲーム即ち秋葉原文明にのめり込むパワーすらない若者が、中国で増えている。

これと同じことが、今中国で繰り返されているということだ。日本のほうが、先に行っているのだ。ただし中国は桁と規模が違う。

私が創った言葉なのだが、日本の〝秋葉原文明〟が、どうも今でも世界最先端である。ゲーム、アニメ、オタク、マンガについては、私はこれ以上はもうわからない。未来世界か、あの世の人たちにしか見えない。ここまで来ると中国共産党の独裁政治もへったくれもない。

中国の貧富の格差と日本の衰退

中国は貧富の差が開いている。いまだに6億人の農民たちが貧困で苦しんでいると言われている。P22の記事のように、2020年5月に李克強首相が、「6億人の農民たちが月収1000元（1万7000円）しかなく苦しんでいる」と発言した。みんなが驚いた。

現在、中国全体での労働者（下級のサラリーマンと呼んでよい）の年収は上海、北京では200万円（12万元）である。これが大卒エリートの銀行員や上級公務員たちとなると、すでに年収600万円（35万元）になっている。日本ともはや変わらないということだ。

2020年中国の地方別GDPと人口

順位	地方	GDP	人口
1	広東省	11兆元（190兆円＝1.7兆ドル）	1億2000万
2	江蘇省	10兆元（170兆円＝1.5兆ドル）	8000万
3	山東省	7.3兆元（120兆円＝1.1兆ドル）	1億
4	浙江省	6.4兆元（110兆円＝1兆ドル）	6400万
5	河南省	5.5兆元（93兆円＝9000億ドル）	9900万
6	四川省	4.9兆元（83兆円＝8000億ドル）	8400万
7	福建省	4.4兆元（75兆円＝7000億ドル）	4200万
8	湖北省	4.3兆元（73兆円＝7000億ドル）	5800万
9	湖南省	4.1兆元（70兆円＝6000億ドル）	6600万
10	上海市	3.9兆元（66兆円＝6000億ドル）	2500万
11	安徽省	3.9兆元（66兆円＝6000億ドル）	6100万
12	河北省	3.6兆元（61兆円＝6000億ドル）	7500万
13	北京市	3.6兆元（61兆円＝6000億ドル）	2200万
14	陝西省	2.6兆元（44兆円＝4000億ドル）	4000万
15	江西省	2.6兆元（44兆円＝4000億ドル）	4500万
16	遼寧省	2.5兆元（42兆円＝4000億ドル）	4300万
17	重慶市	2.5兆元（42兆円＝4000億ドル）	3200万
18	雲南省	2.5兆元（42兆円＝4000億ドル）	4700万
19	広西チワン族自治区	2.2兆元（37兆円＝3000億ドル）	5000万
20	貴州省	1.8兆元（31兆円＝3000億ドル）	3900万
21	山西省	1.8兆元（31兆円＝3000億ドル）	3500万
22	内モンゴル自治区	1.7兆元（29兆円＝3000億ドル）	2400万
23	天津市	1.4兆元（24兆円＝2000億ドル）	1400万
24	新疆ウイグル自治区	1.4兆元（24兆円＝2000億ドル）	2600万
25	黒竜江省	1.4兆元（24兆円＝2000億ドル）	3200万
26	吉林省	1.2兆元（20兆円＝2000億ドル）	2400万
27	甘粛省	0.9兆元（15兆円＝1000億ドル）	2500万
28	海南省	0.6兆元（10兆円＝900億ドル）	1000万
29	寧夏回族自治区	0.4兆元（7兆円＝600億ドル）	720万
30	青海省	0.3兆元（5兆円＝500億ドル）	590万
31	チベット自治区	0.2兆元（3兆円＝300億ドル）	360万

さらに、外国帰りの技術者やビジネスマンで、最初から管理職待遇となると、世界基準の給与が保障される。だから20代で年収２０００万円（１２０万元）というサラリーマンがざらにいる。もう日本よりも、ずっと上を行っているのだ。

翻って今の日本では、労働人口（18〜65歳）のうちの１０００万人が、年収２００万円ぐらいで喘《あえ》いでいる。日本はおそるべき衰退《すいたい》国家である。日本はもう30年も続いているデフレ不況の中で、給料が上がらないどころか、半分近くまで下がってしまった。

日本の平均給与は、ＯＥＣＤの２０２０年調査で４２４万円（４万ドル）である。これでも十分低いが、どうもこの数字はちょっと甘いのではないか。私は、３００万円台にまで落ちていると思う。このあと10年もしないうちに、日本は中国に平均年収でも追い越されるであろう。

アメリカは、インチキでかさ上げしたＧＤＰを24兆ドルと発表している。だから、一人頭《あたま》（パー・キャピタ）の年収で７万ドルだと発表している。この金額は、特殊なフリーポート（自由貿易港）やタックスヘイブン（租税回避地《かいひち》）であるシンガポールやルクセンブルクなどが、年収１人当たり７万ドルと言っているので、「アメリカは超一等国だ」と言いたいがために、無理やりそれに合わせて作っているウソの数字である。今のアメリカの没落ぶりもひどい。

アメリカ合衆国は税金がガンガン上がっていて、大変な状況である。カリフォルニア州ではステイトタックス（州税）が30％もある。ニューヨーク州では25％。さらに国税連邦税（フェデラル・タックス＝いわゆる所得税）が25％だ。そのほかにミュニシパル・タックス（市民税）が5％ある。

だから、今回のコロナ給付金や企業への特別対策金で儲かった経営者たちが、カリフォルニアやニューヨークの、ステイトタックス（州税）の高い州から、アリゾナ州やネバダ州、さらには州税がないテキサス州に逃げ出している。300万ドル（3億円）とか500万ドル（5億円）の新築住居を買って、他州に引っ越している。

個人だけでなく法人レベルでも、イーロン・マスクのテスラ・モーターズが高い税金を嫌って2021年10月、本社をカリフォルニア州からテキサス州（州都サンアントニオ）に移している。

今のアメリカでは、固定資産税も高い。普通の一戸建て住宅で年1万ドル（110万円）も取られる。だから税金が払えないので、自分の家に住むことを諦めて売り払って、トレーラーハウスであちこち移動して暮らす人が増えている。大した収入もない。行く先々の

河北＝ナイジェリア
西＝チェコ
黒竜江＝ギリシャ
＝
ニア
内モンゴル＝ポルトガル
吉林＝カザフスタン
遼寧＝シンガポール
北京＝オーストリア
天津＝ニュージーランド
山東＝インドネシア（1.1兆ドル）
陝西＝デンマーク
河南＝スイス
江蘇＝ブラジル
安徽＝タイ
上海＝ベルギー（6000億ドル）
湖北＝ポーランド
浙江＝オランダ
重慶＝ベトナム
湖南＝スウェーデン
江西＝マレーシア
貴州＝
ーマニア
福建＝イラン
台湾（6000億ドル）
広西＝南アフリカ
広東＝オーストラリア（1.7兆ドル）
香港（3000億ドル）
マカオ（500億ドル）
海南＝ドミニカ

中国の各地方のGDPは、世界各国と同じ規模だ

22省・5自治区・4直轄地・2特別行政区が世界中のどこの国と同じ経済規模かが分かる。中国は大国で帝国なのだ。ただの国ではない。人口も1つの省で平均4000万人ぐらいいる。

中国のGDP合計＝17.5兆ドル

ダイナーやパブで皿洗いをしながら、車上生活している老人夫婦がたくさんいる。

私が深圳で見た中国の読書人階級

前述した通り、中国の大手学習塾チェーンを経営していた、教育産業が軒並み倒産し、中国全土から消えてなくなった。この事態を中国国民は静かに歓迎している。

教育費は高くなる一方であった。たとえば、特別な教師がつく塾の授業料は月に1万元（17万円）もするといった話を、私は中国に調査旅行に行った際によく聞いた。

中国人自身にも、恐ろしい価格だ。そんなお金を出せる家庭は、住宅バブルで大儲けしているか、成功した企業経営者か、賄賂《ワイロ》のカネで肥え太っている腐敗した中国共産党幹部たちしかいない。中国社会の中にある、お金をめぐる凄まじい腐敗は、とてもではないが外国人には理解できないものだ。

ただし、子供たちの世界に対して、親や政府や教師たちが生活規制をかけても、それは無理である。私たち日本人自身が、そういう環境の中で生きてきた。学校教育と言うのは無惨なもので、本当は国民洗脳の道具でしかない。どんなに立派な教育を受けようが、ひ

中国にはネットのゲームにハマる若者だけではなく、読書人の予備軍がいる

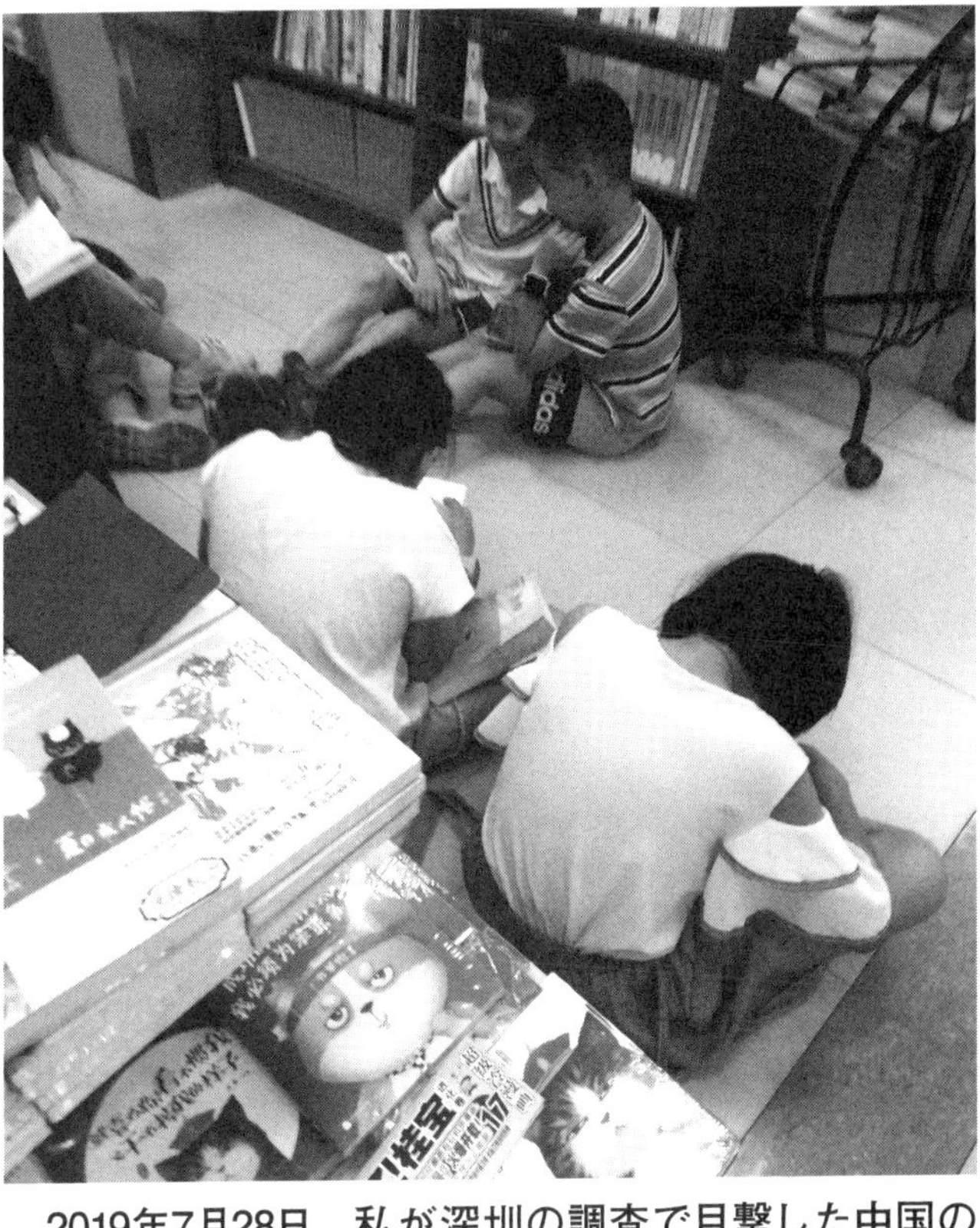

2019年7月28日、私が深圳の調査で目撃した中国の子供たち。大型書店に座り込んで、本を読んでいる。

どい教育を受けようが、大人になって社会に出てしまえば皆同じだ。

中国の場合はそれでもアニメ、ゲームに狂わず、学習塾の極めて特殊な受験勉強などに嵌《はま》らないで、静かに昔ながらの読書をする子供たちがいる。実際に、2019年に深圳に行った際に、私は大型書店で座り込んで、熱心に読書している子供たちを見た。ヨーロッパにも、まだそういう読書人階級は残っている。私のこの本を読む人々も、人類にとっての最後の希望である読書人階級である。

1980年代の中国で現れた「新家父長制」とは何か?

前述した宿題と塾を減らす「双減《そうげん》政策」は、都会の金持ち階級の子供たちだけが恵まれた教育を受けることで有利になることを阻止し、田舎の恵まれない子供たちにも同じ内容の教育を受けられるようにすることが狙いである。ここに、共同富裕をスローガンにする理由がある。貧しい層に這《は》い上がるチャンスを与えるということだ。

私の考えでは、中国はどんな田舎で育っても、ずば抜けた天才級の頭をした人間たちがいて、その者たちを上に引き上げるだけの見識が各地の指導部にあるので、優秀な人材がたくさん育っている。考えてみれば中国は科挙《かきょ》の国であるから、平等な試験制度の伝統が根付いている。だから、ずば抜けた才能を持っている人間たちを抜擢して、自由に研究させて新技術を開発させたり、地域の指導者となるよう育てたりしているはずである。

この、優れた人材を上に引き上げて、国全体を豊かにするという考えが大事である。日本の場合は官僚を試験選抜制だけで選んで育てず、彼らに実質的な国の舵取りをやらせている。民間大企業も、理科系であれば優秀な人材を内部で育てて、自社の利益を上げている。このやり方は、世界的にも優れたやり方だった。

ただし、最近こんなことが起きた。日本から中国への公然たる頭脳流出である。記事を載せる。

「ノーベル賞候補、中国へ「頭脳流出」と憂えるよりも」

ノーベル化学賞候補として、名前があがる藤嶋昭《ふじしまあきら》さん（79）が近く、研究の拠点を中国に移す。光の力で汚れやにおいなどを分解する「光触媒《ひかりしょくばい》」の反応を約50年前に見つけた功績は、世界的に評価が高い。上海理工大学が光触媒に関する国際研究組織をたちあげ、彼の研究チームごと受け入れることになった。日本が誇る科学者の移籍は「頭脳流出」として、学界を越えて日本社会をざわつかせている。

行き先が米国なら、反応は違ったはずだ。安全保障で対立し、少し前まで科学技術で日本より大きく遅れているとみなしていた、中国だからこそ、ざわつくのだ。井上信治・科学技術政策担当相は会見で「大きな危機感」を表明し、甘利明・元経済産業相は「国益は？」とツイートした。

藤嶋さんは、なぜ中国へ渡るのか。

「頭脳流出なんかじゃありませんよ。研究の成果は、論文で共有されています。秘密はありません」

上海での正式な契約を終えて帰国した藤嶋さんは言う。コロナ禍が落ち着いたら本格的に渡航する予定だ。

水の汚染に悩む上海市政府は「光触媒」の水処理への応用も期待し、藤嶋さんを招いた。

上海の大学側には当然、著名な藤嶋さんをシンボルとして研究院を立ち上げることで、人材や予算を獲得したい思惑もある。日本では東京理科大学栄誉《えいよ》教授となり、す

研究者が豊富な資金に惹かれるのは当たり前。中国の「千人計画」レベルのことが日本はできない

日米中の研究開発費比較

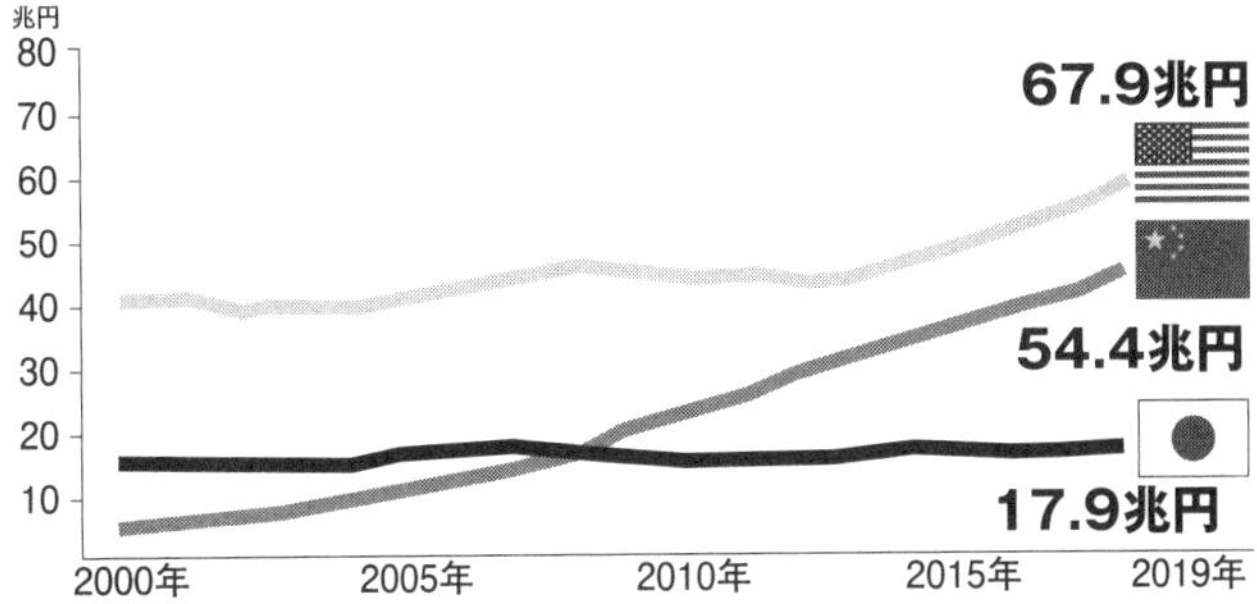

引用数の多い学術論文数（平均）

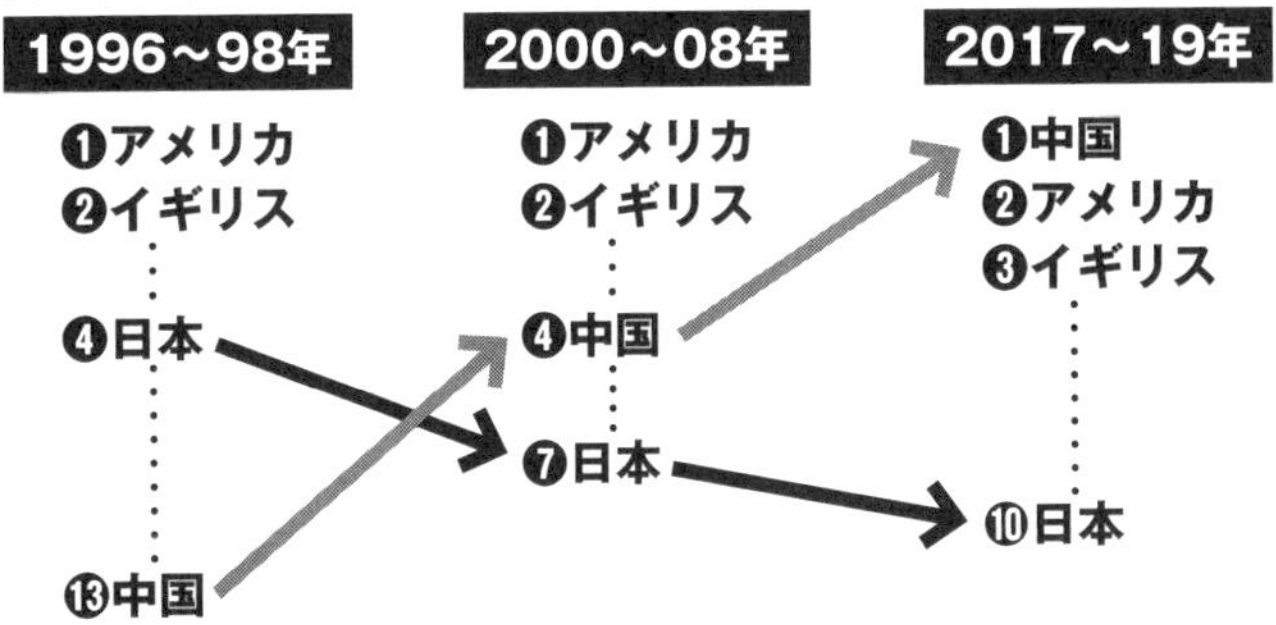

出所：文部科学省 科学技術・学術政策研究所

　これを見ればわかるように、日本の科学研究の現場はやせ細る一方である。今や日本人研究者が豊富な資金と、最先端の実験装置を求めて公然と中国に渡る。

でに研究の現場は離れている。「頭脳流出」を嘆く声は大きくても、日中の間で争奪戦があったとは言いがたい。

注目度の高い論文数（2017〜19年平均）で、中国は初めて米国を抜いて世界首位に立った。20年前の13位から大躍進だ。いっぽう、日本は4位から10位に落ちた。佐倉《さくら》統《おさむ》・東京大学教授（科学技術社会論）は言う。「自由な発想で使える予算を削り、人を減らし、若手の職場すら奪ってきた。知的財産権の保護や安全保障にかかわる分野で脇をしめていくのは当然としても、外国へ渡る研究者を批判するのはお門違いです」

中国は研究開発費も研究者数も日本の3倍に達した。米中対立下でも、米国での博士号取得者は50倍、米国と共同研究した科学の論文数も圧倒的に多い。日本の研究環境の立て直しを急ぐべきだという佐倉さんの意見は、科学者の悲鳴にもきこえた。

（2021年10月2日　朝日新聞）

共同富裕は「第2の文革」という大いなる誤解

中国が1980年代に入って、文化大革命（1966〜76。毛沢東の死まで）のあとの恐ろしく貧乏な暮らしから、必死になって抜け出そうとした過程で、前述した「万元戸《ワンユアンフウ》」と言う言葉が登場した。

農民の中から自力で豊かになった階層が出現した。労働者の中からも能力がある人物が、新しい会社を興す機会が生まれた。しかも、その新会社は潰れてしまった国営企業の中で、残っている機械設備を使って、新しい製品を創意工夫で作って売ったのだ。

日本も敗戦後、潰れた軍需工場や造船所で、ナベ、カマ、リヤカーなどを作って、闇市《ヤミ》で飛ぶように売れて、金持ちになった人々がいた。これは、ロシアのオリガルヒとも同じだ。1991年にソビエトが崩壊して、国有企業が解体されたあと、新興成金《なりきん》の若い荒くれ者の有能な経営者たちが出現した。

その人物の周りに人が集まり、本当に優秀であれば経営する企業が発展していった。中国共産党は、その邪魔をしなかった。それが今の中国の繁栄を作っている多くの民間企業の、そもそもの成り立ちだ。

女性でも能力がある人は起業した。自分と家族を食わせるくらいだけの能力の人々は、経営能力のある人のもとで働けばいいのだ。私は、この思想を「新家父長制《かふちょう》（ネオ・パトリアーキー）」と名付けている。

日本の中小企業の経営者の中に、本当に優秀な人々がいる。私は、全国各地を講演して回ったので、そういう立派な人たちを何十人も見た。そういう人たちが、みんなの代表である政治家になれるような仕組みを、作らなければいけない。

現在、中国がやろうとしていることは、優れた民間企業の経営者たちが育ったあと、そこに出現した分厚い層をなしている従業員（労働者）たちという中流階級を守り、育てることだ。さらにそれを増やしていくということである。

P27に掲載した記事で見たように、習近平が「一部の国で貧富の差が拡大して中間階級が落ち込み、政治が分極化している」と言った。習近平には、没落を続けているアメリカ、ヨーロッパ、日本を睨《にら》みながら、どうすれば中国がさらに発展するかが、はっきりと分かっているのである。

習近平が言いだした共同富裕を指して、「これは第2の文化大革命だ」と言って批判する日本の論者たちがいる。さらには、「共同富裕は、鄧小平の改革開放路線、先富論《せんぷ》に反するものだ」と言う者もいる。

だが、これは的外れだ。共同富裕は、古くは毛沢東が目標に置いていた。鄧小平も「先富」のあとに目指すべきは「共同富裕」だと語っていたのである。

習近平は文革どころか、中国の建国（1949年）のあとの70年の歴史と、1979年からあとの40年の改革開放の路線を着実に踏襲している。国民の中から落ちこぼれる層が出ないようにするための政策として、「共同富裕」を新たなスローガンとして打ち立てたのである。

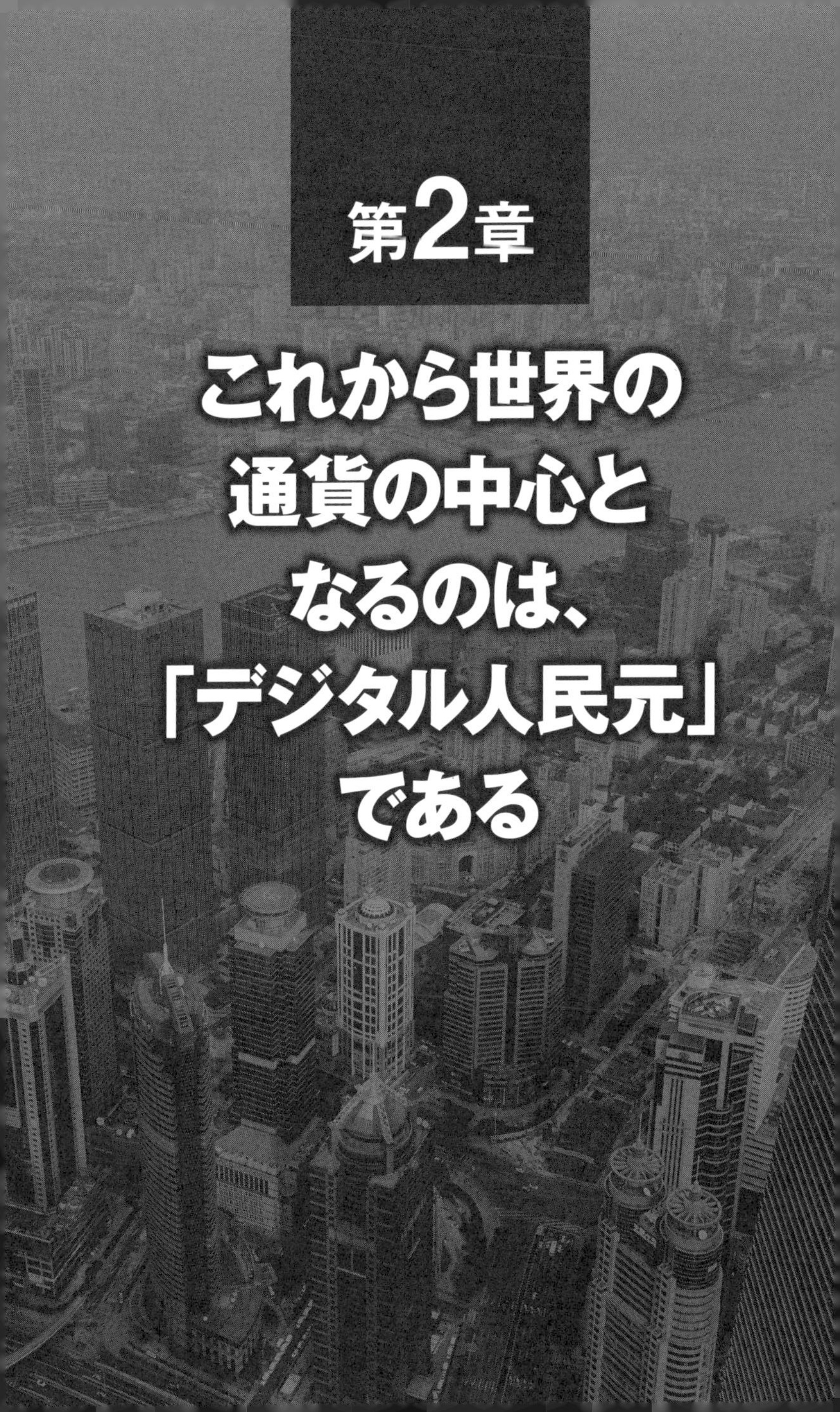

第2章

これから世界の通貨の中心となるのは、「デジタル人民元」である

世界的なデジタル通貨への流れは止まらない

ここからは、「はじめに」の(1)で書いた「デジタル人民元がアメリカのドル覇権を叩き潰しつつある。デジタル人民元が世界通貨体制の要《かなめ》となる」ということについて説明する。

世界通貨体制の要になるということは、すなわち、中国政府が主導するデジタル人民元が、近い将来の世界通貨の決済《けっさい》制度の中心になるということである。

今のところは米ドルの紙幣（お札）が、まだまだアフリカ諸国や南米、アジア諸国においても、まるで自国通貨のように使われている。そうした貧しい国々の首相や大統領たちは、自分の国の通貨があまりに信用がなくて、自国民さえ使いたがらないことに、ガッカリしている。国家の信用（クレディビリティ credibility）の土台である通貨が弱いと、対外的にも何も強いことは言えない。米ドルが勝手に流通してしまうのである。

国家というものは、出来る限り虚勢を張って「自分の国は立派な独立国だ」と言いたい。だが、実際は自分の国の通貨《カレンシー》を国民は信用せず、その代わりに汚い5ドル札、10ドル札が使われているのが現実だ。

ビットコインは9月に中国から追放された。やがて中国主導の「デジタル人民元」に吸収される

2021年9月24日、中国では仮想通貨が禁圧された。一方、中南米のエルサルバドル（上）では、9月7日から法定通貨となった。これまでは米ドルが法定通貨だったが、送金がしやすいようビットコインを法定通貨とした。（朝日新聞2021年9月8日）

私はかつて、イランのテヘランに調査に行った際、路地裏の闇の通貨の交換所を見た。あるいは、男たちがバザールの前でわっと数百人集まって、周りからは何をやっているか見えないようにしながら、ササっと紙幣の束を売買していた。警官が寄って来たら、何食わぬ顔をしてさっと解散する。

公設の両替商（マネーチェインジャー）を利用するのは観光客だけだ。このように、今もまだ米ドルが世界通貨としての基軸《きじく》通貨（キー・カレンシー）なのである。

このような状況に対して、新しい動きとして、南米やアフリカやアジア諸国でビットコインなどの仮想通貨を法定通貨にする、という動きが出ている。貧しい国（新興国を含む）のひとつであるエルサルバドルの大統領が、２０２１年6月、「ビットコインを自国通貨とする」と宣言した。自国内にはびこっているヤンキー（北米《ほくべい》）帝国の米ドルが不愉快だから、デジタル通貨を認めてしまえ、となったのだ。

すると、これに追随する国が続々と出てきた。南米のパラグアイやアフリカのタンザニアも、デジタル通貨《マネー》導入の方向へと動き出した。10月25日から、アフリカの新興大国であるナイジェリア（人口2億）では、仮想通貨と同様のブロックチェーン技術を使った独自のデジタル通貨「eナイラ」の使用が始まった。アフリカには、ナイジェリアやアンゴラ、モザンビークなど、中国寄りの親中《しんちゅう》国家が多い。だから、当然のように「デジタル人民元」を受け入れる素地ができている。記事を載せる。

「ナイジェリア、中銀デジタル通貨「eナイラ」導入 アフリカ初」

ナイジェリアの中央銀行は、ムハマドゥ・ブハリ大統領が10月25日にデジタル通貨「eナイラ」を正式に導入すると発表した。

eナイラは、中央銀行が発行・管理する「中央銀行デジタル通貨（CBDC）」。導入はアフリカ初となる。

アフリカ最大の経済と人口を誇るナイジェリアでは、法定通貨ナイラの相場が下落する中、生活費の高騰と失業率の上昇に直面した国民の間で、暗号資産（仮想通貨）の利用が流行している。CBDC導入には、この暗号資産人気を活用する狙いがある。

eナイラの公式ウェブサイトとeウォレット（電子財布）アプリは、すでに公開されている。

米シンクタンクのアトランティック・カウンシル（Atlantic Council）によると、これまでにバハマなど5か国がCBDCを導入済み。西アフリカのガーナも、独自のデジタル通貨導入に向けて動いている。

（2021年10月18日 人民網日本版）

この世界的なデジタル通貨の導入に対応して、日本ではスマホ決済が広がって、ペイペイ（PayPay）が利用者全体の半分を占めている。2番手はドコモのd《ディー》払い、3位は楽天の楽天ペイである。これらのスマホ決済は、日本国内で今、ものすごい勢いでコンビニをはじめ至るところで使われている。

ペイペイは、孫正義が率いるソフトバンクが運営している。どうも、その裏側では中国の「デジタル人民元」の動きと連動しているようである。ペイペイの運営元であるZ《ゼット》ホールディングスが2022年4月にはLINEペイを統合する。LINEペイはなくなるだろう。そうなると、ますますペイペイの独り勝ちが進む。

デジタル人民元が世界通貨の主要な決済制度に成長したときに、ペイペイが日本での受け皿にそのままなってゆくのではないか。現状のクレジットカードでの決済は減っていく。

「デジタル人民元」の陰に隠れて、孫正義率いるソフトバンクが日本のスマホ決済市場を支配していく

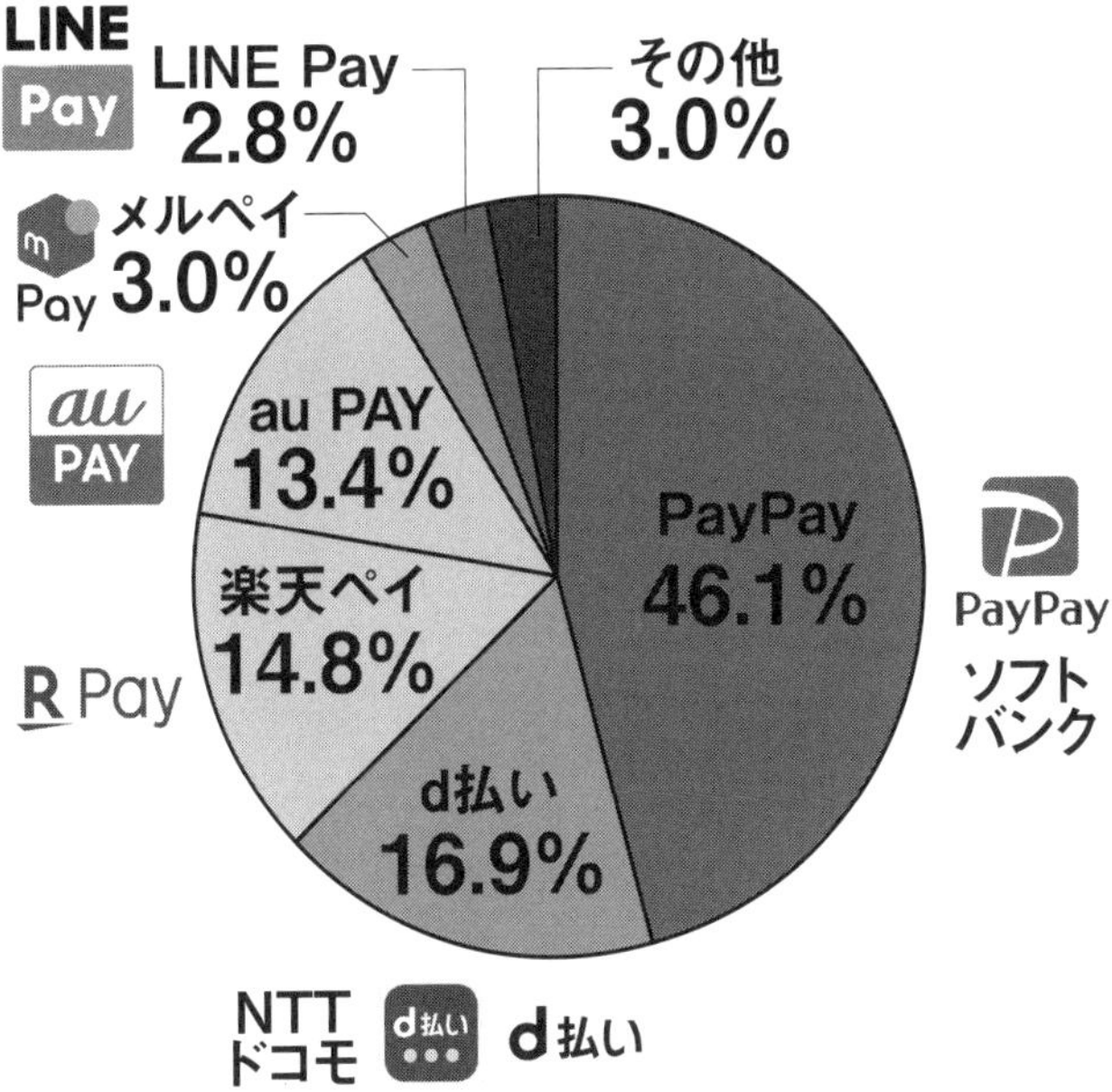

出所：MMD研究所「2021年7月スマートフォン決済（QRコード）利用動向調査」

PayPayとLINE Pay	Zホールディングス（＝ソフトバンク）グループのPayPayは、2022年4月にLINE Payと統合する予定
d払いとメルペイ	2020年からドコモのd払いとメルカリのメルペイの残高、ポイント、共通QRコードの使用を開始
楽天ペイとau PAY	2019年から楽天ペイの加盟店でau PAYの使用が可能になった。

孫正義の背後に、中国政府の影が見え隠れするのである。ただし、デジタル人民元が露骨に日本国内で通用すると、反中・反共の人たちがワーワー騒ぐ。だから、中国はそんな下手な動きはしない。

これからの世界決済制度をリードするデジタル人民元

デジタル人民元は、CBDC（セントラルバンク・デジタルカレンシー）、すなわち「中央銀行発行デジタル通貨」として、すでに大きく動き出している。CBDCは日本では「日銀《にちぎん》電子マネー」と言い換えてもいい。

実は、この「CBDC」という言葉を最初に使い始めたのは、当の日本銀行である。中国の中央銀行である中国人民《じんみん》銀行がデジタル人民元（人民幣。レンミンビー）の世界的な運用に本格的に乗り出すと宣言したら、これに慌てて日本政府も対応した。そこで作り出した言葉がCBDCだ。ちなみに人民元は中国語で「レンミンユアン」である。日本語の「円」も元々ユアンである。韓国のウォンもユアンである。漢字の表記を、それぞれ変えただけだ。レンミンビー（人民幣）は、お札の呼び名である。

これまでは、それぞれの国の中央銀行がお札（紙幣）を発行していた。これがデジタルカレンシー（電子マネー）になれば、紙のお金が必然的に無くなっていく。事実、今の中国では紙のお札は、ほとんど流通していない。お札の中心は100元札（1700円）だが、私が2019年に中国に調査に行ったとき、「もう1年以上、人民幣を見たことがない」という人がたくさんいた。

つまり、中国全土でお札は消滅しつつあるのだ。「まさか、そんなはずはない。お札が消えるなど」と思う人が日本では多いだろう。まだコロナのせいで中国に行くことはできないので現地でその後は確認できない。だが、中国人の知り合いや友人に聞いてみれば、紙のお札が消えて無くなっていることが分かるはずだ。不思議なことに、日本のテレビでは、この事実が全く報道されない。だから、なかなか日本人は一体、世界のお金がどうなりつつあるのか、わからないのだ。

このように中央銀行がデジタルマネー、すなわち電子通貨をやると言えば、その国の通貨は一気に変わる。さらに、この動きが世界中に広がっているのだ。

今やアフリカのどんな貧しい国でも、国民の8割くらいはスマホを持っている。スマホを持っていないのは、老人たちだろう。おそらく中国製のシャオミー（小米。Xiaomi）やoppo（オッポ。欧珀）などの安いスマホが、２００ドル（2万円）程度で世界中に出回っている。当然、南米諸国の国民もみんな持っている。

なんと、アフガニスタンのイスラム教原理主義《ファンダメンタリズム》の過激派であるタリバーンの兵士たちまでも、スマホを持っている。首都カブールを8月15日に制圧したあとのニューズ映像に、タリバーンの兵隊たちがＡＫ《エイケイ》47カラシニコフ銃を肩にかけたまま、スマホに見入っている姿があった。きっとゲームをやっていたのだろう。これが今の世界である。

残念ながら私はスマホをうまく使えないので、結局、携帯（ガラパゴス携帯。ガラケー）に戻した。私のような老人になると、手が震えてうまく画面を操作できない。字も小さすぎて読めない。私は、主にノートパソコン（英語ではラップトップという）で仕事をしているものだから、スマホだけで生きている若い人たちのようにはいかないのだ。

私と同じように「スマホは無理だ」という老人は大勢いる。そして、「スマホにデジタルカレンシーのアプリをダウンロードして通貨（お金）を使うようになる」という、この言葉の意味が分からない老人がほとんどだろう。だが、もうすぐデジタル人民元は、スマホなしでも使える日が近づいているのである。急速にここまで来ている。中国の記事を載せる。

「中国人の暮らしに溶け込みつつあるデジタル人民元」

最近、複数の地域で連携してデジタル人民元の応用テストが行われた。インターネットに接続する必要はなく、スマートフォンを開いてアプリを立ち上げる必要もなく、カードかスマホをかざせば、シェア自転車のロックを解除したり、自動運転車（オートノマス・カー）や無人スーパーを体験したり、複数種類の外貨に直接両替したりもできる。

デジタル人民元は今、私たちの暮らしに溶け込みつつある。「工人日報」が伝えた。

マルチシーンでの応用が消費の活力をかき立てる

銀行のキャッシュカードと同じくらいのサイズで、小さな窓枠があるカードを自転車のロック部分にかざせば、すぐにロックが解除される。これは美団《びだん》と中国聯通《れんつう》（チャイナ・ユニコム)、中国銀行が協力して開発したデジタル人民元の新たな応用だ。北京に住む高齢者の劉《リュウ》さんは、「自分たちのような高齢者に、これはぴったりだ」と話す。

それだけではない。コーヒーを飲む、オフラインでバスに乗る、クリエイティブな土産品を買う、無人スーパーで買い物をするなども、すべてこの「見えるハードウォレット」があれば実現する。利用者がカードを出すのが面倒なら、スマホアプリ、スマートウォッチ、スマホケース、さらには高齢者の使用するスマート杖《つえ》という選択肢もあり、さまざまなスタイルでデジタル化がもたらす便利さを享受することができる。

デジタル人民元は法定通貨であり国家によって価値が保障されている。だから、受け取る側と支払う側がどちらもオフライン状態でも決済ができて便利だ。方向を定めて流通するため追跡可能、などの優位性が備わっており、現在、中国全土の複数の地域でテストが行われている。

山東省青島《チンタオ》市では、中国初のデジタル人民元決済手段となる「二酸化炭素（CO_2）包摂《ほうせつ》プラットフォーム」の「青炭行《せいたんこう》」のアプリがリリースされた。北京では、8月1日から、鉄道交通にデジタル人民元によるオフラインでの乗車券・カード購入、チャージ、またアプリによるオンラインでの乗車券購入など、マルチシーンの応用が加わった。デジタル人民元は冬季五輪・パラリンピックにおけるフルシーンテスト応用が安定的に進められている。江蘇省蘇州《スーチョン》市では、「網上国網《もうじょうこくもう》（国家電網《でんもう》公司のオンラインサービスの窓口）」のクラウド端末で、デジタル人民元による省をまたいだ料金支払い機能が実現した。湖南省長沙《ちょうさ》市では、デジタル人民元で支払う時に使える割引券10万枚を市民に配布し、バスや地下鉄に乗るときに割引きサービスが受けられるようにした。

（2021年10月18日　人民網日本版）

このように、私たち日本人が読んでも、ビックリするくらい中国は先に進んでいる。もう追いつかない。それでも、実情は中国でも全国民に銀行口座があって、口座のお金がスマホのお金と直結して動いている。日本の場合はクレジットカードが発達しているので、現金払い以外はカード決済が主流である。これが急激に「日銀電子マネー」に置き換わるとは思えない。

だが、前述した貧しい国々では、スマホでお金の使用、利用、送金ができるようになりつつある。この流れは止まることはないだろう。なぜなら、自国の通貨があまりにも信用がなく、決済手段としてお話にならないからだ。

やがて米ドルの暴落が起きるので、それまで貯め込んだ米ドルにすら信用が置けない心配が出ている。その時に、ビットコインという民間通貨よりも、中国政府が始めたデジタル人民元のほうが信用がある。だからデジタル人民元を中心とする、世界決済通貨の制度に変わっていくのである。

中国政府はなぜ「ビットコイン狩り」を断行したのか

ここからは「はじめに」の(6)の「ビットコインと全ての仮想通貨《かそうつうか》（暗号資産《クリプトアセット》）を禁圧し、国外追放にした」について説明する。

中国政府が2021年9月24日、最終的に、ビットコインをはじめとする仮想通貨を、完全に全面的に禁止した。仮想通貨（正しくは暗号資産。クリプト・カレンシー）は、名前に通貨とあるが正式なお金ではない。通貨（カレンシー）というのは、その国の政府が通用を強制的に法律で定めた法貨《ほうか》（legal tender。リーガルテンダー）である。

歴史的には、ヨーロッパのダカート金貨のように、ベネチアの商人連合が発行していた金貨が広く使われていた。通貨は必ずしも国家が発行しなくてもいいのである。仮想通貨は、中国で完全に潰され、叩き出されたが、実は突然起きたことではない。すでに、中国政府は2020年から、この措置を導入すると公然と警告してきた。このことも日本では報道されない。記事を載せる。

「ビットコイン採掘、米首位に　中国禁止でシェア急変」

代表的な暗号資産（仮想通貨）であるビットコインのマイニング（採掘）世界シェアが急変している。

英ケンブリッジ大学の研究チームが2021年10月13日公表した8月の推計データによると、米国が35・4％と首位で、3カ月前の17・8％から約2倍に急伸した。5月にマイニング止《どめ》を決めた中国から事業者が一斉に離れたためで、隣国のカザフスタンも受け皿となってシェアを大きく伸ばした。

マイニングは高性能なコンピューターによる膨大な計算で、ビットコインの取引データを検証・承認する作業だ。複雑な計算を最も速く解いた人が報酬として新たなビットコインを受け取れる。採掘の過程で大量の電力を消費する。
仮想通貨への締め付けを強めてきた中国政府は、5月、マイニングの禁止を打ち出した。中国は2020年秋までは世界で約3分の2（70％）のシェアを占めていたが、その後は徐々に低下をたどっていた。今年5月に44・0％、6月には34・3％へ下がり、7月以降はゼロになった。
代わりに受け皿となったのが米国だ。5月まで10％台だった世界シェアは、6月に21・8％、7月に35・1％と急上昇して首位に立った。電力料金が安く中国と国境を接するカザフスタンに拠点を移す動きも広がり、6月まで1割弱だったシェアは8月に18・1％まで伸びて2位に浮上した。

（2021年10月14日　日本経済新聞）

このように中国政府は文句を言わせず、ビットコインの鉱山主（マイナー）という仮想通貨作りの強欲人間たちを一気に締め上げた。そして国外に逃亡させた。ただし、決して彼らを捕まえはしなかった。世界中に解き放ったのである。ここがミソである。中国の深

中国は仮想通貨を完全禁圧し、デジタル人民元を急速に普及させる

ビットコイン発行シェア

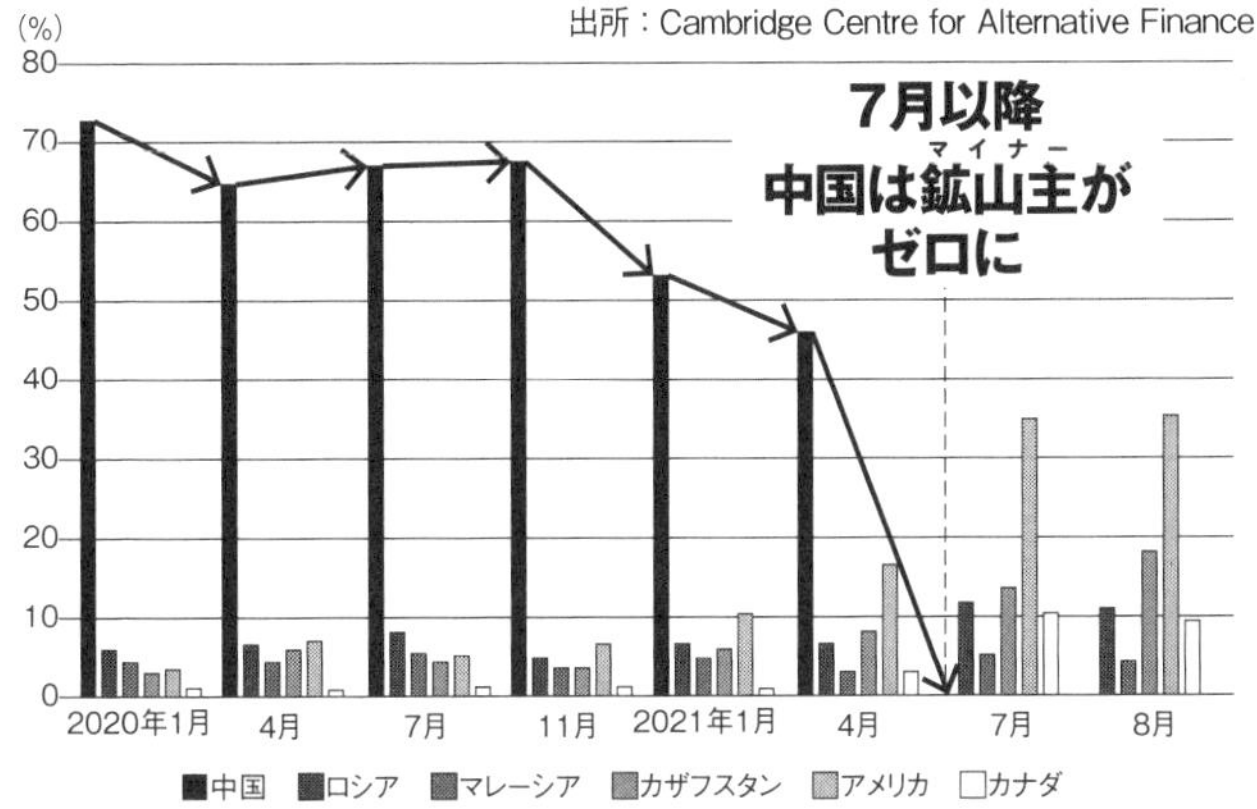

2022年2月の北京冬季オリンピックで中国政府はデジタル人民元（e-CNY、数字人民幣）を開始する。これが世界のお金《マネー》の中心になってゆく。

謀遠慮は、もの凄いのである。

あとに残された巨大なコンピュータ施設と、廃止、閉鎖させた取引所をすべてごっそりと中国政府が自分のものにしただろう。これが前述した「デジタル人民元」のための設備に加えられてゆくのである。恐ろしいことだが事実である。不思議なことに。こうしたニューズが日本ではほとんど流れないのは、実におかしなことである。

P93のグラフにあるように、ビットコインの製造（鉱山掘り）のうち、中国で行っていた世界の7割が一気に消滅した。前掲の記事にもある通り、中国から隣国のカザフスタンやイランへと逃げた鉱山業者がいるという。

また、一番多くはアメリカのテキサス州に移った。ただし、テキサス州の岩石砂漠のようなところに、新たにマイニングの施設や火力発電所を作ってビットコインをすぐに再開できるかどうかあやしい。

今のところ、ビットコインを含めた仮想通貨は、世界全体で140兆円（1・3兆ドル）の資産総額である。この140兆円の7割、つまり100兆円（1兆ドル）が中国で掘られていた。

中国政府は、この100兆円がなくなっても、痛くも痒《かゆ》くもない。それよりも仮想通貨という世界規模の金融バクチの手段を放置してきたことのほうが、問題なのだ。中国政府は、仮想通貨はディープ・ステイトの尖兵《せんぺい》であるという証拠をつかんだのだ。だから禁圧して国外に追放した。金融バブルの破裂を引き起こす道具として使われると見抜いたのだ。だから叩きつぶした。偉い。

このあとビットコインは、意地でも中国に立ち向かうかのように、6万ドル（660万円）の最高値を付けた（10月25日）。その前は4万ドル（440万円）くらいまで落ちていたから威勢のいい話である。

しかし、中国政府が本気で仮想通貨潰しを断行したことは、世界各国の政府に影響を与えた。だから近いうちに、仮想通貨は消えていく運命にある。ただし、このまま消滅させるわけにもいかない。ここで開発されたブロックチェーンの技術は、各国政府の財産となるべく接収するだろう。そして、公共財産（パブリック・プロパティ）にされていく。

このブロックチェーンの仕組みとCBDCを合体させて、中国政府が新しい世界通貨体制を各国協調で作り出す。決して、無理やりデジタル人民元の使用を強要することはしない。「使いたければ、どうぞお使いください」という言い方をしている。特にアジア諸国に対しては。

アメリカはデジタル人民元の動きを、ほとんど無視している。まともに対応しようとはしない。なぜなら、アメリカがこのCBDCと言う決済制度に踏み込むと、世界中で使われているドル札の信用が落ち、自分が握りしめているIMF・世界銀行体制（金《きん》ドル体制。ブレトンウッズ体制）が壊れることが、分かっているからだ。だから、わざと知らん顔をしている。だが、本心ではアメリカは動揺している。

IMF・世銀《せぎん》体制は、1944年7月にアメリカのニューハンプシャー州でできたブレトンウッズ条約で生まれた。まだ、ドイツも日本も降伏していない時だ。このIMF・世銀体制を守ることしか、もう今のアメリカにはできない。

IMFと世銀のビルはワシントンで向かい合って立っている。このIMF世銀の別名が、「金ドル体制」である。CBDCが実際に使われるようになることは、金ドル体制の崩壊が目の前に迫っていることを表している。つまり、米ドルを中心とした通貨体制が終わろうとしているのだ。

2024年から、デジタル人民元が世界通貨になる

2024年	2021年の現在は
1ドル＝1円 日本円の対ドルレートは明治の初めの頃に戻る。	1ドル＝110円
1人民元＝2円	現在は 1人民元＝17円
↓	
1ドル＝0.5人民元 (1人民元＝2ドル)	現在は 1ドル＝6.4人民元
	現在は 1ドル＝0.8ポンド 1ドル＝0.95ユーロ 1ドル＝1.1豪ドル 1ドル＝1.2カナダドル

デジタル人民元の実験はどんどん中国の各都市で進んでいる。

金ドル体制の崩壊と「1ドル＝1円」時代の到来

それでは、金ドル体制が崩壊したらどうなるのか。今の1米ドルが、ズバリ1円になるだろう。これは、つい最近出した私の金融本である『コロナ対策経済で大不況に突入する世界』（祥伝社、2021年）に詳しく書いたので読んでください。

その金融本で、私は「1ドル＝1円」になるなどという恐ろしい、誰も聞いたことがないような話を平気で書いている。なぜならば、あと数年したら（2024年かな？）、米ドルが暴落を始めるからだ。その時、日本はアメリカに山ほど貢がされている、1400兆円ほどのカネを取り戻すことはできない。その担保《たんぽ》として日本が受け取っているのは、紙切れの米国債である。これが、国家の裏《うら》帳簿の資産勘定に載っている。

アメリカとしては、借りたお金を返す気はない。実質は属国からぶったくったカネだからだ。だから借金を棒引きにする。そのために、米ドルは10分の1に暴落することで、対《たい》外的に無価値にする。つまり、日本円が10倍に切り上がるということだ。

この時、日本政府はこの事態に対して、それに立ち向かうかのように、さらにものすごいことを考えている。今の1万円を1000円にするということを考えているのだ。これは、2024年10月に行うことが決まっている新札切り替えに合わせて、お札に印刷されている「10000円」の文字を、「1000円」にするだろう。これを通貨単位の変更（**リデノミネーション　redenomination**）と言う。

そうすると、この時点でさらに円は10倍に切り上がる。10倍×10倍で米ドルとの関係で100倍になる。逆からは米ドルは100分の1になる。だから今の「1ドル＝110円」は、100分の1になって、「1ドル＝1・1円」になるのである。前のページに載せた表の通りだ。

日本のお金《かね》は、幕末には1ドル＝1両だった。明治時代になると1ドル＝1円に変わった。大正から昭和にかけて1ドル＝4～6円へと下がった。第2次世界大戦の間も6円だ。ところが、日本が戦争に負けてみじめな敗北国家になったので、激しいインフレが襲い掛かった。1946（昭和21）年の2月から年末までに、1000％（10倍）という猛烈なインフレが起きた。これがハイパーインフレである。

この時アメリカ占領軍政府（軍政）に、1ドル＝360円と決められた。私の少年時代は、こうだった。そこから1ドル＝100円に戻っていくのに50年かかった。最も円高になったのは10年前の２０１１年で、１ドル＝75円である。そして、今は１１０円あたりをウロウロしている。

日本政府としては、米ドルがやがてガラガラと崩れ落ちて金ドル体制（ブレトンウッズ体制＝ＩＭＦ・世銀体制）が終わっていく時に、それに立ち向かうように、「１ドル＝１円」に戻すという大胆なことを考えている。日本の支配階級にも意地がある。アメリカに反撃したいのだ。その時に日本国内で起きる大混乱は仕方がない。セカンダリー（二次的）な問題となる。あくまで対外的（対《たい》世界）な関係が重要なのだ。

外国為替市場において、１ドル＝１円に戻すことが、大きな長い歴史を見て最も正しい判断となるだろう。なぜなら、今の１ドル＝１１０円などというのは、みっともないことだからだ。明治時代は１ドル＝１円だったのだ。

現在、１ユーロは１・１ドル。１英ポンドは１・２ドルである。逆から見れば１ドルは０・95ユーロで、１ドルは０・８ポンドである。

これをもっと簡単に言うと、イギリスの１ポンド紙幣をもらうには、アメリカ人は１・２ドル渡さなければならない。１ユーロを米ドルに交換すると１・１ドルが手に入る。このように世界の主要な通貨は、１対１ぐらいのところで動いているのである。

このことを考えると日本円が1ドル＝1円のところまで円を急激に切り上げて、円の力を世界に認めさせるというのは、十分に有り得ることなのだ。

日中経済は「1人民元＝2円」の次元へと移行する

そして、ここからが中国との関係になる。はじめに大胆に言っておくが、中国がアメリカを追い落として次の覇権《はけん》国（ヘジェモニック・ステイト）にのし上がっていく過程で、1ドルはおそらく0・5人民元、逆から計算すると「1人民元＝2ドル」となる。今、1ドルは6・4人民元である。しかし、もうすぐ6人民元台を割って、5人民元台になる可能性が高い。

そこで、1ドル＝5人民元と考えよう。そして金《きん》ドル体制が終わると、中国との関係では、米ドルは10分の1に切り下がる。つまり1ドルは0・5元まで大暴落するのである。日本円は前述した通り、さらに国内で10倍の切り上げを行うので「1ドル＝1円」だ。人民元は米ドルに対し10倍の価値を持つことになって、「1ドル＝0・5人民元」になる。逆から言えば「1人民元＝2ドル」である。

これは果たして、奇想天外な夢のような話だろうか。いや、そんなことは決してない。先ほど説明したように、今のイギリスとアメリカの関係において、「1ポンド＝0・8ドル」である。ということは、中国が世界一豊かな国になり、ポンドやユーロや円よりも人民元のほうが強くなった時、1ドル＝0・5元となったところで、何がおかしいことがあるだろうか。

日本円との関係で言えば、現状1元＝17円、逆から言えば1円＝0・058元である。1万円札を出したら、580元もらえるということだ。ところが、円が前述のように2024年の新通貨に合わせて10分の1になると、現状の1元＝17円が「1元＝2円」となる。数年前は本当に1元＝20円だった。つまり、これが10分の1になると、1元＝2円でちょうど計算が合うのだ。

さあ、どうだ。私のこの考えが突飛すぎて今すぐには理解できないかもしれない。キツネにつままれたという言葉がある通りであろう。だが、あと3年待ちなさい。私は、このように常に大きく人類史、世界史の規模で物事を見ているのである。

頭の整理のため、ここまでの内容をまとめると次の4つとなる。

チャーリー・マンガー（97歳、右）「中国政府が、ジャック・マー（アリババ創業者）を黙らせたのは正しい」同志のウォーレン・バフェット（91歳、左）「チャーリー、君の言うとおりだ」

2021年6月29日、巨大投資会社バークシャー・ハザウェイ副会長のマンガーは、CNBCのインタビューで「金融行政に関してはアメリカは中国を見習うべき」だと語り、世界に衝撃を与えた。

①デジタル人民元を中心にして、世界通貨が出来る
②日本のペイペイの裏にデジタル人民元が隠れている
③中国政府が仮想通貨を叩き潰した
④1人民元＝2ドル、1ドル＝1円の時代がやがて到来する

これくらい大きな変動が世界で起きるだろう。ただし、この大変動によってあれこれ国内で大変なトラブルが起きるだろう。それでも、対《たい》世界の関係から見たら、大したことではないのだ。私のこの中国本は金融本と違うので、お金のことばかりやり続けるわけにはいかないから、これくらいにしておく。

世界規模でお金をもてあそぶ気色の悪い金融バクチ人間たちを中国政府が叩き潰しつつある。大きな変化である。この点において中国人と中国政府は極めて正しい判断をしていると言えるのである。

中国流ビッグテックの潰し方

ここからは、「はじめに」の⑸の「中国版ビッグテック（アリババ、テンセントなど）を、デジタル人民元の仕組みの中に解体的に取り込む」について説明する。

中国政府の大きな目標のひとつが、中国版ビッグテックたちの支配、管理だ。すでに見てきたように、習近平の「共同富裕」が発表されると、間髪を入れず中国のビッグテックのトップたちが、次々と社会慈善事業に対する巨額の寄付や社員へのボーナス倍増などを行った。

だが、その先に中国政府の大きな狙いがある。それが、ビッグテックの解体的支配である。この場合、狙いは2つある。

1つ目は、通信市場どころか金融市場までも独占、寡占して、ぼろ儲けをしているテック企業への制裁である。

2つ目は、デジタル人民元用のプラットフォームに転換するために、ビッグテックをごっそりと実質、接収《せっしゅう》する。

目立つ動きとしては、ビッグテックのCEO（董事長《とうじちょう》）たちの首のすげ替えである。2019年9月、アリババのジャック・マー（馬雲《まうん》）がCEOの座から忽然《こつぜん》と消えた。その後も、ジャック・マーが創業した、オンライン決済システムである「アリペイ」と、信用認証システムの「ゴマ信用」で知られるアント・グループや、ネット通販大手の京東《ジンドン》集団など、主要なビッグテックのトップたちがこの1年以内に、その座から去っている。

中国のビッグテックの1つで、世界的な配車サービスである滴滴《てきてき》（DiDi《ディディ》）を、北京市政府が直接支配するというニュースも報じられた。記事を紹介する。

「北京市政府、配車サービス滴滴を支配下に置くことも視野 ―関係者」

中国の北京市政府が株式を買い取る形で配車サービス最大手、滴滴グローバルへの出資を提案しており、政府系企業が同社の支配権を握る可能性がある。事情に詳しい複数の関係者が明らかにした。

非公開情報だとして匿名を条件に話した関係者によると、暫定的な案では北京首都

中国版ビッグテックの創業者たち。次々と自分の会社から消えていく

	名前	会社名	辞任時期	業績
	馬雲（ジャック・マー）	阿里巴巴集団（アリババ）	2019年9月	Amazonと並ぶ世界的なネット通販会社であるアリババの創業者
	黄峥（コリン・ホアン）	拼多多（ピンドゥオドゥオ）	2021年3月	京東と並ぶ中国大手ネット通販ピンドゥオドゥオの創業者
	胡暁明（サイモン・フー）	螞蟻集団（アント・グループ）	2021年3月	世界最大のモバイル決済アプリのアリペイと信用評価システムの芝麻（ゴマ）信用を運営
	張一鳴（チャン・イーミン）	北京字節跳動科技（バイトダンス）	2021年5月	世界的に有名なショート動画アプリ「TikTok」（ティックトック）を作り出したバイトダンス社の創業者
	劉強東（リュウ・チャンドン）	京東集団（JD）	2021年9月	中国ネット通販2位の京東集団の創業者。2014年、NASDAQに上場している
	宿華（スー・ファー）	快手科技（クワイショウ・テクノロジー）	2021年11月	中国第２位のショート動画アプリ「快手」の創業者

旅遊集団傘下の首汽《しゅき》集団が北京市に本拠を置く他社と組んで、滴滴に出資する方向。検討されているシナリオには、このコンソーシアムが拒否権のあるいわゆる「ゴールデンシェア（黄金株）」を取得して取締役を送り込む計画が含まれているという。

滴滴は2021年9月4日の発表文で、北京市政府が同社株所有のため企業と連携しているとのメディアの報道内容を否定した。「当社はサイバーセキュリティーを巡る調査で当局に積極的に協力している」と説明した。

北京市がどの程度の出資を想定しているのかや、この提案が政府高官の承認を得られるのかは不明。滴滴は現在、共同創業者の程維《ていい》氏ならびに柳青《りゅうせい》社長が率いる経営陣で運営されている。ソフトバンクグループやウーバー・テクノロジーズも大株主として名を連ねる。

地方政府は従来から地域内の企業の再編に関して大きな発言権を持っており、想定されている解決策は、習近平国家主席による富の再分配やインターネットセクターの影響力抑制という優先事項にも沿う内容だ。

北京市共産党委員会の報道担当部署には、ファクスでコメントを要請したが返信はなく、首汽スタッフから提供された電話番号に複数回電話したが、応答がなかった。

北京首都旅遊集団には受付係から伝えられた番号にファクスでコメントを求めたが、これも返答がなかった。

（2021年9月4日　ブルームバーグ）

このように、中国政府は、大手のビッグテックを静かに乗っ取る手口に出ている。決して、現在の株価が下がることがないようにしながら、経営トップたちを納得ずくで、辞任させて、おそらく、共産党員である幹部社員たちに、持ち上がりで経営を続けさせるだろう。外《そと》から人材を送り込むと、内部の反発が激しくなる。中国共産党のやることは、本当に恐ろしいのだ。

この記事のあとすぐ、滴々は「微博（ウェイボー）」を使って「報道は誤りだ」と否定した。北京市政府も「関連部門とこの件を調べた結果、北京市の政府系企業が滴滴に出資したとか、首汽集団が他の政府系企業と組んで滴滴に出資する、という報道は事実でない」と発表した。

このように、アメリカのほうが、中国が先行した「ビッグテックを解体する」という動きにあとから追随したのである。

第3章

マスメディアが煽り続ける台湾問題の真実

日本はアメリカの台湾防衛の肩代わりをさせられる

ここからは「はじめに」の⑵の「台独《たいどく》（台湾独立派）を叩き潰して、アメリカが台湾に肩入れし、手出し、干渉することを撃退する。日本やオーストラリアごときは、その手駒（paw《ポウ》）に過ぎない」に関して、説明していく。

アメリカの政治家や軍人が、やたらと「台湾危機」を煽っている。さらに、それを受けて日本のメディアでも、「中国が、今すぐにでも台湾に侵攻する」と、まじめに解説している人たちがいる。

今の台湾情勢で何が本当に問題なのか。

2021年9月から10月にかけて、台湾周辺の海で西側《ザ・ウエスト》同盟（米・英・オーストラリア・日本・インド）の海軍が集結し、盛んに軍事演習《ドリル》を行った。日本国内では、ニュース映像を含めてほとんど報道されなかった。

この軍事演習（ドリル）はどこか異様な感じで、中国を仮想敵国とし、台湾防衛を大義名分にして、今にも中国に対して戦争を仕掛ける気配まであった。同時にこの頃、日本国

郵便はがき

料金受取人払郵便

牛込局承認

8133

差出有効期間
2023年8月
19日まで
切手はいりません

162-8790

東京都新宿区矢来町114番地
神楽坂高橋ビル5F

株式会社ビジネス社

愛読者係 行

ご住所 〒 TEL:（ ） FAX:（ ）		
フリガナ お名前	年齢	性別 男・女
ご職業	メールアドレスまたはFAX メールまたはFAXによる新刊案内をご希望の方は、ご記入下さい。	
お買い上げ日・書店名 年 月 日	市区 町村	書店

ご購読ありがとうございました。今後の出版企画の参考に
致したいと存じますので、ぜひご意見をお聞かせください。

書籍名

買い求めの動機

書店で見て　2　新聞広告（紙名　　　　　　　　）

書評・新刊紹介（掲載紙名　　　　　　　　）

知人・同僚のすすめ　5　上司、先生のすすめ　6　その他

書の装幀（カバー），デザインなどに関するご感想

洒落ていた　2　めだっていた　3　タイトルがよい

まあまあ　5　よくない　6　その他(　　　　　　　　)

書の定価についてご意見をお聞かせください

高い　2　安い　3　手ごろ　4　その他(　　　　　　　　)

書についてご意見をお聞かせください

どんな出版をご希望ですか（著者、テーマなど）

クアッドを仕掛けたのはカート・キャンベルインド太平洋調整官（実質、国務副長官）である

2021年9月24日、ワシントンで日米豪印4カ国軍事同盟である「クアッド」首脳会談が開かれた。これに対し中国は「中国に対するウソつき外交、汚名を着せる外交はいい加減にしろ」と反発した。

内の中国大嫌い人間たちが、「日本は今こそ中国とぶつかるべき（すなわち戦闘開始）だ」と、相変わらず喚《わめ》いていた。

　ちょうど同じとき、9月24日にワシントンで「クアッド」の会議があった。クアッド（QUAD《クアッド》　Quadrilateral《クアドリラテラル》 Security Dialogue《ダイアローグ》、日米豪印戦略対話）とは、アメリカ、日本、インド、オーストラリアの4カ国による軍事同盟のことである。

　もともと、オバマ大統領のときに、ヒラリー・クリントンがアジア重視戦略を掲げた。ヒラリーが2009年に論文で「Pivot to Asia　ピボット・トゥ・エイジア　軸足をアジアに（移す）」を発表した。バスケットボールの用語の「ピボット」を使って、それまでの対ロシア中心の戦略をアジア即《すなわ》ち対《たい》中国に移すとした。

　それとともに、米民主党政権は昔から「オフショア・バランシング」という理論を持っている。オフショア・バランシング（offshore balancing）とは、アメリカ軍を外国の紛争に直接投入しないで、現地に親米《しんべい》国家を作って戦争をやらせるという戦略である。そうやって、アメリカが世界の各地域（リージョン）を、それぞれバランス（安定）させるということだ。

　これに失敗した典型がベトナム戦争であり、また、この8月15日のアフガニスタンの首都カブールの陥落である。2001年11月に始まったアフガニスタン戦争は、壮大な無駄に終わった。現地軍（傀儡《かいらい》政府の軍隊）にアメリカの代わりに戦争をやらせるという戦略が失敗したのである。

クアッドの4カ国軍事同盟は、太平洋とインドの4つの自由主義国による軍事同盟だと見せかけながら、実態は中国に対して日本とインドとオーストラリアを嗾《けしか》ける戦略である。アメリカ政府は、アメリカ軍人たちを投入して大きな犠牲を払う気はない。だから、アメリカ軍は直接、台湾防衛をするつもりも根性もない。

日本とオーストラリアという、アメリカの属国で家来の国に台湾を守らせる。これがアメリカの大きな世界戦略である。記事を載せる。

「対中牽制「QUAD《クアッド》」日米豪印で再び訓練
インド沖で共同「マラバール」
海自最大の護衛艦、米原子力空母などが参加」

海上自衛隊と、米国、オーストラリア、インド3カ国の海軍による共同訓練「マラバール」が開始されたと、米国防総省のジョン・カービー報道官が12日、発表した。4カ国による戦略的枠組みは「QUAD（クアッド）」と呼ばれ、習近平国家主席率いる中国共産党政権による軍事的覇権拡大を牽制（けんせい）する狙いだ。

海自によると、共同訓練は11日～14日、インド沖ベンガル湾で実施。主な訓練項目は、対潜戦訓練や対水上訓練射撃、洋上補給訓練など。

マラバールは1992年にインドと米国が始め、2015年に日本も加わった。4カ国は8月下旬にも、グアム周辺や西太平洋で共同訓練を行っている。

木原誠二《きはらせいじ》官房副長官は13日の記者会見で「（共同訓練は）『自由で開かれたインド太平洋』の強化を進めて行くうえで極めて重要だ。米印豪との結束をさらに深めていきたい」と述べた。

（2021年10月14日　産経新聞）

クアッド首脳会議の裏で起きていた真実

インドはどうも本気にならない。インドは中国とぶつかりたくはない。嫌がって知らん顔している。インドと中国は、ジャンム・カシミール地方で国境紛争を抱えている。しかし、両方の軍隊ともそれほど大きな犠牲を出したくない。

オーストラリアの今のモリソン政権は、日本の前の安倍晋三政権と似ていて徹底した反《はん》共《きょう》強硬派の態度をとっている。9月19日にオーストラリア政府が突然、フランス製のディーゼル型潜水艦12隻の建造計画を破棄した。その代わりに、アメリカ製の原子力潜水艦8隻をオーストラリアが保有する契約に変えた。フランスは、700億ドル（7兆円）の損失である。それでフランスが怒った。

オーストラリアは、本当は5年前に日本製の高性能のほとんど音の出ないディーゼル潜水艦を買うべきだったのだ。今さらオーストラリアが原潜を8隻持ったとしても、完成するのは2040年らしいから、話にならない。

このように、アメリカがオーストラリアを唆《そその》かし、中国と対決させようとしている。日本の安倍政権も反共、反中国の政権だった。新しい岸田政権は、アメリカに対しては対中国強硬路線のふりをしなければならない。しかし岸田文雄は宏池会《こうち》（旧吉田茂系）であるから、アメリカに対して面従腹背《めんじゅうふくはい》の戦略で動く。

宏池会の考えは「軽《けい》武装、経済（成長）優先」である。だから日本は、中国とも仲良くやっていくという大方針である。何でもかんでもアメリカの言うことを聞いて、従うということもない。

前の菅義偉首相は、すでに9月3日に辞任を発表していたので、9月末のクアッドの首脳会談では、何にも発言しなかった。

インドのモディ首相も、クアッド会議で気乗りしない感じでボーっとしていた。オーストラリアのモリソン首相は、バイデン大統領と白人同士で楽しそうに記者会見した。菅首相は、ホワイトハウスのローズガーデンでのバイデン大統領との記者会見を開かせてもらえなかった。日本側のメディアは、このことを報道しなかった。

それよりも菅首相が、「コロナウイルス騒ぎをそろそろやめにしてくれ」とアメリカに要求したのが重要だ。米ジョンズ・ホプキンス大学（ここがディープ・ステイトの隠れ蓑）が、毎日、日本の場合はNHKに命令して発表している、コロナウイルスのウソの陽性者（PCR検査で陽性《ポジティブ》となった人）の数と重症者の数と死亡者の数の、日本への作出《さくしゅつ》された数値を押し付けないでくれと要望した。

死者がこれまでの合計で2万人、重傷者が最大時全国で2200人（11月9日時点で99

人)。感染者は、すべて合わせてこれまでに173万人以上という数字の発表を、アメリカ政府にやめさせることをお願いした。

これが日本国にとっての最大の収穫である。菅義偉は自分の首《クビ》をアメリカに差し出す形で、コロナ騒ぎをいったん収束させた。これが、彼の最大の業績だ。菅首相は日本に帰ってきてすぐに、「10月1日から緊急事態宣言を解除する」と発表した。

この10月1日から、日本国内の雰囲気ががらりと変わって急に明るくなった。これで国民は、自由に動けるようになったので、近場のリゾートに貧乏旅行を始めた。爺さん、婆さん連中も、部屋から出て外に遊びに行くようになった。マスクはしたままだ。国内の雰囲気は変わった。

それでも、政府(厚労省)はワクチンの3回目、4回目接種を進めている。これを「ブースター接種」という。さらに、「子供にもワクチンを打たせる」と言う話が出ている。岸田政権自体はイヤそうにしているので、自ら音頭を取って「打て、打て」とは言っていない。しかし、政府のどこかの部署がディープ・ステイトの強い意志を受けて、子供への接種までやらせようとしている。

日本国民の多くは、さんざんこの1年半大騒ぎしたコロナ問題から、いい加減離れたくなっている。感染者数の発表も東京で1日30人とかに急激に減って、「もうやめよう。このバカ騒ぎにはうんざりだ」となっている。それでも、まだ「ワクチンを打て」の扇動と謀略は収まらない。コロナ問題については第5章で、その秘密を明らかにする。

今から50年前、台湾は国連から追放された

台湾は、今からちょうど50年前の1971年10月25日に The《ザ》 UN《ユーエヌ》（日本では国連、本当は連合諸国《れんごうしょこく》）から追放された。その代わりに中華人民共和国が、正式に国連に加盟した。かつ、そのまま5大常任理事国《パーマネント・メンバーズ》のひとつになった。台湾は中華民国を名乗り、蔣介石《しょうかいせき》が統治した。あまりに小国だから国連から台湾を外して、大きな中国を国際社会は受け入れた。

国連の総会決議で、「台湾は主権国家《ソブリーンティ》ではない。中国の一部である」という理由で、アルバニア案が承認されて、台湾は国連から除名追放された。これは国際法《インターナショナル・ラー》の事実である。台湾は、中国の一部、すなわち台湾省である。この明白な事実を日本ではなかなか教えないし、だから日本人は知らない。日本のメディアも、この大きな真実を報道しない。

さらには反《はん》中国右翼の連中は、今でも台湾を国家だと思い込んでいる。台湾は、「いやそうではない。自分たちのほうが進んで国連を脱退した」と偉そうなことを言っている。だから追放ではなくて、脱退なのだと。ヘンな話でしょ。

本当はアメリカが中心となって、台湾を国連から除名追放したのだ。台湾追放の3カ月前の1971年7月15日に、当時のリチャード・ニクソン大統領が「私は中国に行く」と宣言した。

この時、側近のヘンリー・キッシンジャー補佐官が、7月9日から極秘に中国を訪れ、周恩来首相と毛沢東国家主席と会った。周恩来は「中国はアメリカを受け入れる」と承諾した。キッシンジャーから連絡を受けたニクソンは、その翌年に訪中（1972年2月21～28日）することを決断したと発表したのである。これは後に〝ニクソン・ショック〟と呼ばれた。

もう1つのニクソン・ショックは、その1カ月後の8月15日にニクソン大統領が、「もう、ドル紙幣を金《きん》と交換することはできない」という「金ドルの兌換《だかん》の停止」を宣言したことだ。これがドルショックである。ニクソンは、この大きな2つの業績を持っているのである。そのためにアメリカの右翼勢力からウォーターゲートを仕掛けられて、2年後の19

74年に失脚した。

つまり、ニクソン政権の時に、中国をアメリカ側に大きく取り込んだのだ。キッシンジャーがパキスタンの首都イスラマバードの空軍基地から北京に軍用機で飛んで、まず周恩来に会った。それから毛沢東に会った。その時、キッシンジャーは当時すでにアメリカが持っていた軍事用のスパイ衛星が上空から撮影した、大きな写真の束を見せた。

そこには、50個師団《ユニット》のソビエトの大戦車師団（機甲師団）が、ぐるっと中ソ国境を取り囲むようにしていたのが写っていた。ソ連の戦車部隊が、いつでも中国領に攻め込めるような態勢になっていた。

これを見せられた毛沢東は仰天して「よし、分かった。中国はアメリカと組む」と決めたのである。それくらい中国、ソ連の対立は激しくなっていた。このことを日本人は今でも知らない。私はこのことを『日本の秘密』（新版が2010年にPHP研究所刊）のなかで書いた。世界史の大きな軸が、この時動いた。だから、アメリカはこのニクソン戦略でユーラシア大陸に大きなくさびを打ち込んで、中国をソビエトから切り離して、まるでケーキを大きくグサグサと切り分けるようにアメリカ側に取り込んだのである。

そして、中国を国際社会に迎え入れた。国連総会で、中国が台湾に代わって国家として認められ、しかも常任理事国になった。この時、中国からの要求として、沖縄にある核兵器を撤去してくれと外交交渉で求めた。キッシンジャーがそれを了解した。

実は今の普天間の米軍基地の下に核サイロがあった。そこから、いつでも北京と上海へ発射できるように、「メースB」という大陸間弾道ミサイルが設置されていた。もう1つは、辺野古崎のアメリカ軍海兵隊の飛行場に核兵器があったのだ。アメリカは、この2つの核兵器を撤去した。

これに当時の佐藤栄作首相がアメリカから頼まれてOKを出した。だから佐藤栄作は1974年にノーベル平和賞を受賞したのである。佐藤栄作がノーベル平和賞を受賞した理由を、今の日本人は知らない。沖縄返還交渉を1972年に取り決めたというのが理由になっているが、それは国内問題でしかない。本当は、2つの核兵器の撤去に協力したことが受賞理由なのである。

このようにして、アメリカは中国を自分の側に取り込んだ。1989年11月にベルリンの壁崩壊が起きて、キッシンジャーの訪中から20年後、すなわち1991年に見事にソビエト社会主義共和国連邦（ソビエト共産主義）は解体消滅した。これが世界史の大きな流れである。

私たちは台湾情勢や尖閣諸島問題を、紛争と軍事衝突の問題として考えるのではなく、もっと大きな視点から見なければならない。今は中国が、アメリカが予想するよりもはるかに急激にかつ大きく成長してしまった。だからアメリカとしては、自分の世界帝国（世界覇権国）としての地位が脅かされるようになったので、前述したように「軸足をアジアに移す（ピボット・トゥ・エイジア）」のヒラリー論文の戦略になったのである。

1991年のソビエト崩壊までは、世界が冷戦構造「コールドウォー」と呼ばれて、アメリカにとってソビエト・ロシアとの対決が中心だった。今のアメリカにとっての大きな敵は中国だ。私の予想では、あと数年で中国がアメリカをしのいで、世界覇権国の地位を奪い取る動きが始まるとみている。

台湾情勢を煽って得するのは誰なのか？

アメリカ政府は台湾を国として認めない。中国の一部であると、はっきり1971年に決定した。そのために、中国を国際社会に招き入れたのである。

それなのにアメリカが、今ごろになって、まるで台湾がひとつの国家であるかのように、独立国として応援している。日本もアメリカに追随して、台湾防衛のような愚かな主張と言論を国内で作っている。日本のメディアや言論人たちが、そう言っていること自体がおかしいのだ。分かりますか、反共右翼の皆さん？

アメリカのジェイク・サリバン国家安全保障問題担当大統領補佐官《プレジデンシャル・エイド》（キッシンジャーがこの役職だった）と、アントニー・ブリンケン国務長官でさえ、台湾が国（主権国家、ソブリンステイト）であるとは絶対に口にしない。

中国とアメリカが1972年に約束した「一つの中国」を認める、すなわち台湾を国家だと認めないのである。これはアメリカ政府がいくら反中《はんちゅう》路線を取っていても、絶対に覆《くつがえ》せないことなのだ。だから今の蔡英文《さいえいぶん》の台湾政府が、いくら「台独《たいどく》（台湾独立）」を主張しても、国際社会即ち世界中のほとんどの国は耳を傾けない。

それでも中国に対するいやがらせやケンカの売り方として、「台湾を中国に絶対に渡さない」と言い、台湾の取り合いとして、中国と対立、対決する姿勢を見せている。実に見苦しい、アメリカあるいは西側諸国の動きである。

再度念を押して書くが、国際法（インターナショナル・ラー）が適用されるので、台湾

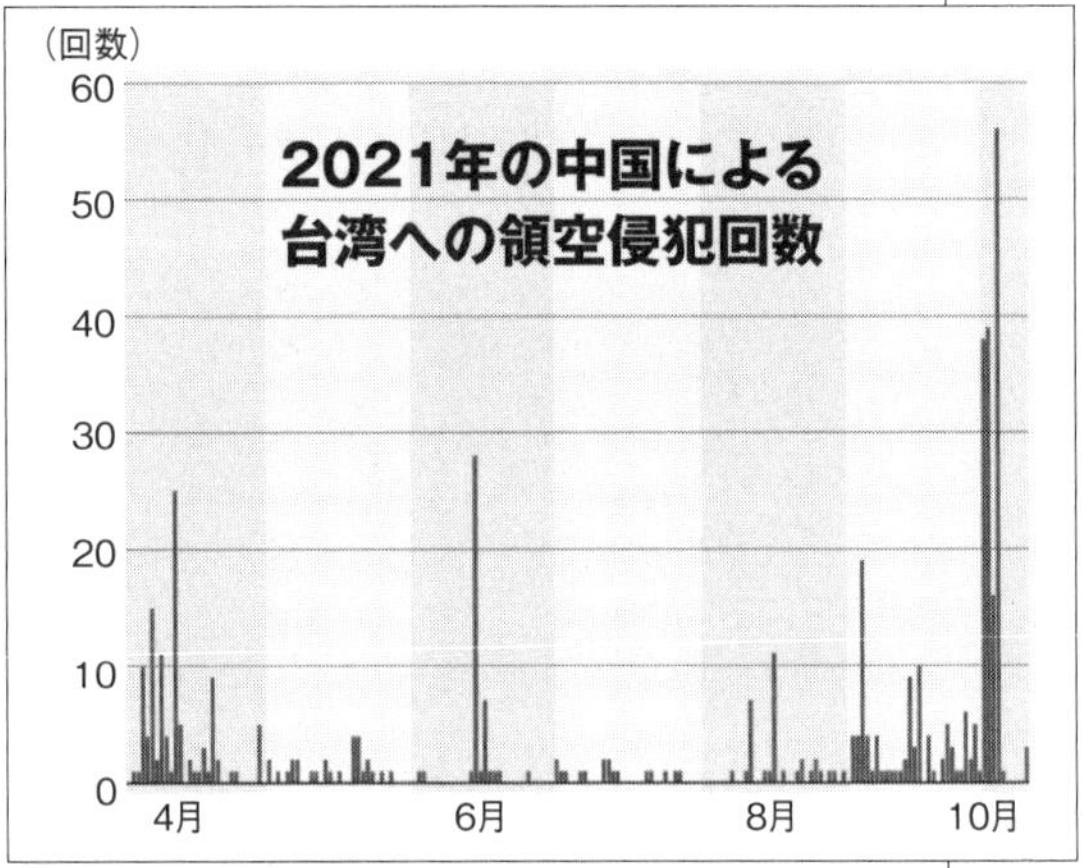

出所：台湾国防部

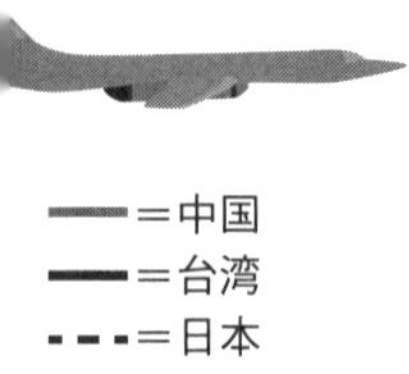

中国軍機は台湾の主張する防空識別圏のギリギリを行ったり来たりしている。どこの国もやっていることだ。これを日本のメディアは中国の台湾への武力侵攻と盛んに結びつけるが、中国が台湾を威圧するのは自然である。

中国の台湾領空侵犯の実態は報道とはまったく異なる

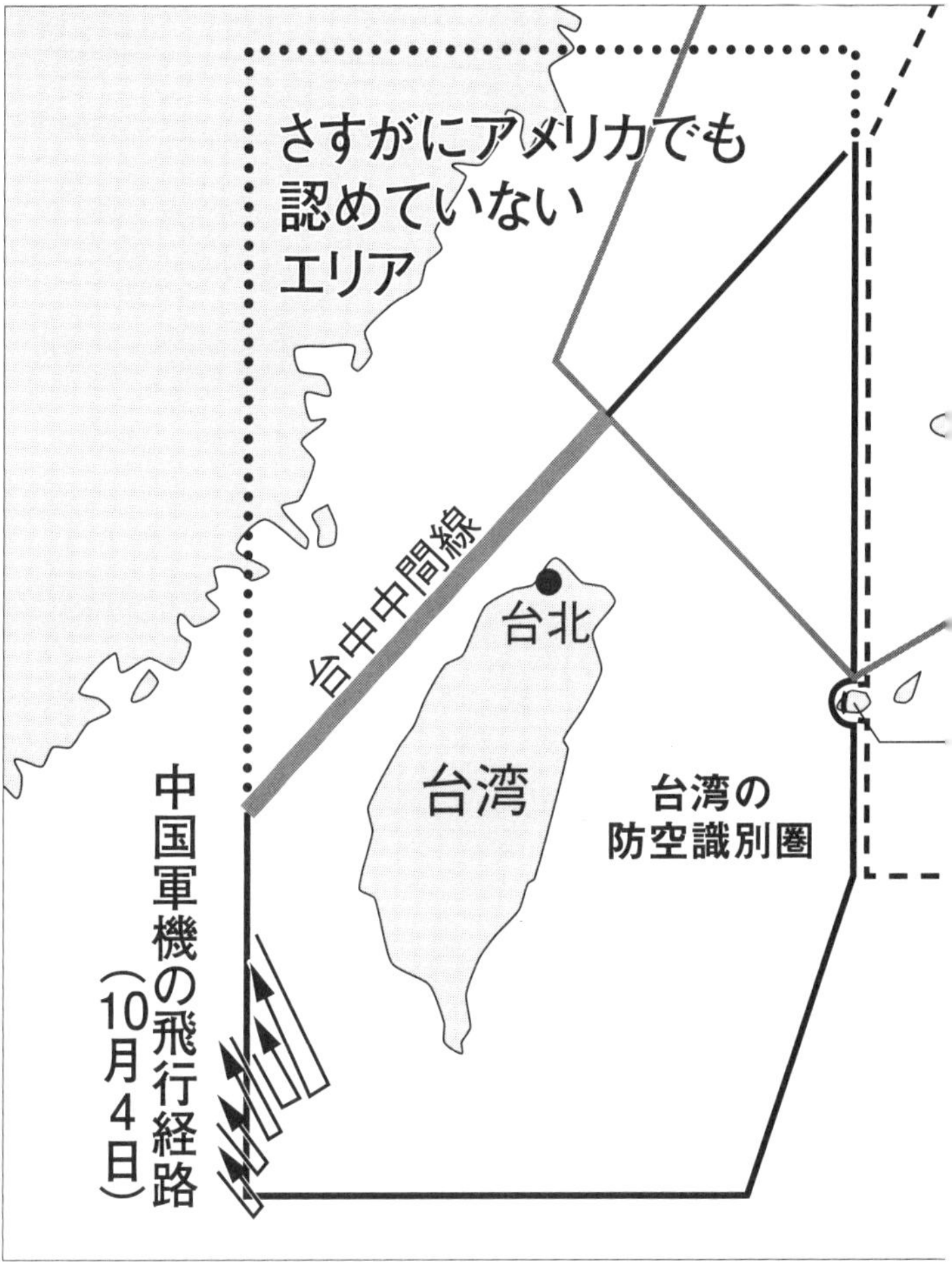

は国ではないということは、はっきりしている。国連で大多数の国々によって承認された事実なのだから。それなのに、今もまるで台湾が独立国であるような書き方をしている人がいるが、きわめておかしい。

さらには、「中国が台湾に軍事侵攻して攻めてくるー！」と騒ぐ人たちが日本にもいる。彼らは、人民解放軍が創設されて100周年にあたる2027年までに、中国が台湾に侵攻すると想定している。次に載せる記事の、フィリップ・デーヴィッドソン米インド太平洋軍司令官のような米軍人たちである。記事を紹介する。

「『中国、6年以内に台湾侵攻の恐れ』米インド太平洋軍司令官」

米インド太平洋軍のフィリップ・デービッドソン（Philip Davidson）司令官は、3月9日、上院軍事委員会（Senate Armed Services Committee）の公聴会《パブリック・ヒアリング》で、「今後6年以内に中国が台湾を侵攻する可能性がある」と証言した。

デービッドソン司令官は、「彼ら（中国）は米国、つまりルールにのっとった国際秩序におけるわが国のリーダーとしての役割に取って代わろうという野心を強めていると私は憂慮している…2050年までにだ」と発言した。「その時、台湾が中国の野心の目標の一つであることは間違いない。この脅威は、向こう10年、実際には今後6年で明らかになると思う」と語った。

デービッドソン司令官は、「中国は、資源が豊富な南シナ海（South China Sea）の大半の領有権を主張している。その上に、米領グアム（Guam）を奪う構えさえ見せている」と警告した。「インド洋のディエゴガルシア（Diego Garcia）島やグアムにある我が軍事基地に酷似した基地を作って模擬攻撃する動画も公表している」と指摘し、中国のミサイルを飛行中に撃墜できる「イージス・アショア（Aegis Ashore）」システムのグアム配備を政府に要求した。

さらにデービッドソン司令官は「中国がやろうとしていることの代償は高くつく、と中国に知らしめるために、オーストラリアと日本に配備予定のイージス・システムに加え、攻撃兵器に予算をつけるよう」議会に求めた。

（2021年3月10日　AFP）

この記事の最後に書かれているように、実は米軍が台湾情勢を過大に煽《あお》るのは、自分たち軍のための予算が目当てである。さらに上のほうに君臨するディープ・ステイトの思惑としては、台湾海域で戦争を起こすだけでなく、それに至るまでの軍事衝突の危険をあれこれ扇動して、武器の売却を進めることだ。私は前の本たちで書いてきたのだが、どうも米軍が台湾軍を直接訓練している。このことが、ついに日本のメディアでも報道された。記事を載せる。

「米軍、台湾軍を1年以上訓練か 米紙報道」

米紙ウォールストリート・ジャーナル（Wall Street Journal）は、2021年10月7日、米国の特殊作戦部隊や海兵隊《マリーン・コー》が、1年以上にわたって台湾軍を秘密裏に訓練していると報じた。中国の反発を呼ぶ可能性がある。

同紙が匿名の関係者の話として伝えたところによると、中国が米国と同盟関係にある台湾に対する威嚇を強める中、約20人の米軍人が「少なくとも1年間」にわたり台湾の地上および海上部隊を訓練してきた。

この報道について、台湾国防部（国防省）はコメントを控えた。米国防総省のジョン・サプル（John Supple）報道官は肯定も否定もせず、「米国は台湾の防衛上の必要性に基づいて台湾軍を支援している」とのみ述べた。

台湾メディアは、昨年の11月、台湾海軍司令部からの情報として、「米軍が台湾の海兵隊や特殊部隊に小型艦艇や水陸両用作戦の訓練を行うために台湾入りした」と報道。ウォールストリート・ジャーナルによる今回の報道は、この内容を裏付けるものとみられる。米国と台湾の政府関係者は台湾メディアの報道を否定し、「米台は二者間の軍事交流・協力を行っている」と強調していた。

中国は、台湾を自国の領土とみなし、実力行使による奪還も辞さない構えを見せている。米国は台湾に防衛用のミサイルや戦闘機などの武器を供給し、台湾防衛を約束している。だが、防衛に当たっての具体的な対応を明言しない曖昧さを保っている。

（2021年10月8日　AFP）

このウォールストリート・ジャーナルの記事では、たった20人の米軍人が台湾軍を訓練していると書いている。だが、真実はこんなものではない。台湾には、ずっと何十年も5００名の軍事顧問団が派遣されている。この他に、2年前に香港から移動してきた3００

0人の米軍がいる。このことは後述する。

「アメリカが台湾独立を支援する」と言うのであれば、それをはっきりと主張して1971年の国連総会決議をひっくり返せばいいのだ。それすらせずに、中国にいやがらせしたいだけの意味で、台湾問題を騒ぎ立てる。国連決議をひっくり返すことなど、できるわけがない。

今や中国は豊かな大国であり、国際社会における地位もものすごく高い。アメリカの反共・反中国主義者たちは、とにかく地球上のどこかで戦争を起こしたくて仕方がない人たちだ。それはディープ・ステイト（陰に隠れた欧米の支配者たち。軍事産業を含む）の本能に基づく行動なのだろう。地球上のどこかで戦争がないと彼らは困るのだ。

第5章で述べるコロナウイルスのまき散らしとワクチンの強制も、生物化学戦争（バイオ・ケミカル・ウォーフェア）という、新しい戦争の始まりであった。ディープ・ステイトはイベント屋さんであるから、何か新しい企画を立てて、次から次に人間社会に争乱と混乱を引き起こしたくて仕方がないのだ。

人類の歴史を調べてみると、いつもこういう動きがある。国家間の戦争というのは、常にその裏側に仕掛けと、それを企画した人々の悪魔的な意志がある。だから国家指導者たちは、その巨大な悪巧みに乗せられて、自分から進んでワナに嵌《は》まることがないように、最も警戒しなければならない人たちなのである。

中国にしてみれば、このアメリカの嫌がらせはエライ迷惑だ。アメリカ国内政治の保守派の7つの勢力のひとつに、「チャイナ・ロビー」というグループがある。ここでは雑誌とメディアのタイム社を興したヘンリー・ルース（1898〜1967）が君臨していた。彼らチャイナ・ロビー派は、自分たちが中国の近代化と清朝《しんちょう》打倒の中華民国（孫文と蒋介石が指導者）の立場を応援し続けたことを根拠にしている。

彼らの思考の根底には「中国人はライス・クリスチャン（お米を食べるキリスト教徒）としてアメリカ人の友人である」という思想があるのである。だから、この反共右翼のチャイナ・ロビーの勢力が今も根強く、「台湾は中国に渡さない」という国家政策を唱導し、推進している。

日本は、この台湾問題でもアメリカの家来をヘコヘコと演じる、一も二もなくアメリカの動きに下僕的に追従する情けない国だ。南シナ海の小さな岩礁《がんしょう》たちの領有問題と台湾問題、そして尖閣諸島問題をすべてひとまとめにして、中国を叩く言論がとても多い。

今、台湾を国家として認めているのは、たったの15カ国だ。しかも、小さな国々ばかりだ。たとえば、ツバルのようにいつ海面下に国土が沈むかわからない国や、中南米、アフリカの小々国だけだ。

習近平は台湾に武力侵攻する気などない

今の台湾に対する習近平の考えというのは、以下に載せる記事のとおりである。

「習近平氏「台湾統一は必ず実現する」 辛亥革命110年で演説」

中国で清朝《しんちょう》（大清《しん》帝国）が倒された辛亥《しんがい》革命の発端となった武装蜂起から2021年10月10日で110年となる。これを前にして、北京の人民大会堂で、10月9日、「辛亥革命110周年記念大会」が開かれた。

習近平国家主席は演説で「台湾問題は純粋な中国の内政であり、いかなる外部からの干渉も許さない」と米国の介入をけん制した。「台湾の統一という歴史的任務は必ず実現させなければならない」と訴えた。

台湾問題を巡っては米中両国の軍事的緊張が高まっている。習氏は平和的な統一を目指す考えも強調した。辛亥革命を主導した孫文は（今では）中国と台湾の双方で尊敬を受けている。

（2021年10月9日　共同通信）

ここで大事なことは、後ろから3行目の「習氏は（台湾の）平和的な統一を目指す」という部分だ。この平和的統一が大事である。習近平は、台湾侵攻などやる気はまったくない。そう言っているのである。それよりも、じわじわと台湾人を説得して、中国のひとつの省であることを認めさせる。台湾には中国本土で工場を持ち、企業経営をしている台湾人経営者が100万人いる。彼らは当然に台湾の平和的統一を望んでいる。

ただし平和的統一の前に、台湾に大きな自治権を与えるだろう。それは香港に与えられている「一国二制度」の自治権よりも大きなものになる。そのためには、私がずっとこれまでに書いてきた通り、中国は今の中国共産党の一党独裁体制という政治形態を作り変えなければならない。

中国は、複数政党制（マルチパーティ・システム）と、普通選挙制度（ユニバーサル・サファレッジ）の2つを導入する。この2つがデモクラシー（民主政治体制）であるために必須だ。

中国共産党としては、今のところは「習近平同志に率いられた中国の特色ある社会主義」である。この市場経済を中心にした政策は、このまま進める。そして、もっともっと中国は豊かになる。第1章で見たように貧しい層の国民を底上げして、やがて欧米先進国並みの豊かな国になる。

と同時に、独裁体制をやめて、世界の多くの国々から納得してもらえるような、前述した2つの制度を導入することで、穏やかなデモクラシーの国家体制に変更せざるを得ない。だから、2022年（20大）の次の5年後の党大会（21大）が開かれる2027年に、デモクラシーに移行するだろう。

この時、李克強首相らの共青団《きょうせいだん》の派は、中国共産党員であることをやめて、中国民主党という新しい政党を立ち上げるだろう。これで複数政党制になる。そして中国全土で普通選挙を行うことで、デモクラシーの国となる。この時に、納得ずくで台湾も完全に台湾省という23番目の省になるだろう。

台湾と香港で繰り広げられるスパイ合戦

この後、アメリカが世界覇権国から、いつ崩れ落ちるかである。私の最新の金融本『コロナ対策経済で大不況に突入する世界』（祥伝社、2021年）では、一番早い動きとしては2024年に大変動が起きるだろうと書いた。

この時、米ドルの権威が落ちていく。そうするとアメリカの巨額の隠れ借金がバレてしまう。それまで、なんとか維持していたアメリカ合衆国の信用《クレディビリティ》を基にした金ドル体制が崩壊する。現在のブレトンウッズ体制の崩壊が起きる。

それにともない、中国への圧力が減る。もう、中国イジメなどやっているヒマもない。それに乗じて中国はデモクラシー（大民主政体）に移行する。そして、それを台湾も認める。ただし香港については、「2047年までは香港は一国二制度である」と、中国はイギリスと約束した。鄧小平とマギー・サッチャー首相が、1984年に英中共同声明で合意したからだ。

2047年は、香港警察に勤めているイギリス人の公務員たちが、定年となって完全に退職する年である。そして、その2年後の２０４９年が中国建国１００年だ。この時までには、中国の世界覇権は確立している。

中国としては、今も香港に世界中から資金（資本）が流入して栄えている現実を、わざわざ自分のほうから壊す必要はない。香港の繁栄を続けさせるほうが賢いのだ。台湾に対しても大きな自治権を与えて懐柔《かいじゅう》し、香港の一国二制度と同じ政策、すなわち「台湾人による台湾統治」を推し進めるだろう。

２０１９年に、香港で学生たちが反《はん》北京で大いに騒いだ。あのとき、周庭《しゅうてい》（アグネス・チョウ）という女性活動家が、日本語で日本向けに「私たちを助けてください」とフェイスブックで書いて送った。これに日本の若者たちが同情した。周庭はほかの学生活動家のように国外脱出しなかった。だから偉い。北京政府もよくわかっていて、彼女をいったんは捕まえたが、今は釈放して自由にさせている。

香港警察が大学生たちを抑えつけ、各大学にも突入して、活動家たちを捕まえた。これで港独《こうどく》（香港独立派）は敗れた。私は、彼らを最初から支持しなかった。彼らの背後には、アメリカのＣＩＡとイギリスのＭＩ６《エムアイシックス》のような国家情報部員たちが、うごめいていることが分かっていたからだ。

香港人の多くも学生のことはかわいそうだと思ったが、本土からの独立までは支持していない。なぜなら香港人も、1997年7月1日に香港がイギリスから返還され、中国の主権に入った。このことを理解しているからだ。香港はアヘン戦争（1840〜42）のときにイギリスに割譲されて、1842年に南京条約でイギリスに奪い取られた。それから155年後に中国に戻ったのである。この真実を抜きに、いくら香港人であっても自分勝手なことは言えないのだ。

私がテレビを観ていて一番不愉快だったのは、香港中国人たちが、イギリス式のかつらをかぶってイギリス式の裁判官の格好をして、大学の儀式を行っている様子を見た時だ。あんな気色の悪いイギリス貴族の格好なんて、チャンコロが着ても全く似合うわけがない。気持ちが悪かった。チャンコロは、正確には中国語でジョン・グオ・レンと発声する。

日本に密入国した脱走スパイたちの行方

あの暴動の時、実は3000人の米軍が香港に隠れていた。それが秘密裏に台湾に移動した。人民解放軍もひそかに香港に入り込んでいる。私は深圳との境界線のところに大きな森があって、その向こうに中国軍の大部隊がいることが分かった。だから、そのまま米軍が香港にいたら必ず中国軍とぶつかる。それで米軍は台湾に逃げた。すなわち戦争になるからだ。この時、勝負がついた。アメリカは中国と戦争できないのである。台湾には前述した通り、500人の軍事顧問団がいてそこに合流した。

ところが。

ここからが秘密情報である。その香港から台湾に逃げてきた米軍の軍人たちの一部が脱走した。脱走兵は白人以外に、東洋系の兵士たちもいた。この脱走兵30人くらいが、漁船で台湾から日本に密入国した。だから、彼らを捕まえるために、在日米軍が激しく動いた。

なんと今もまだ、追跡捜索している。横田基地や厚木基地から飛んできた「ブラックホーク」という米陸軍の戦闘ヘリ、そして「シーホーク」という米海軍の戦闘ヘリが、超低空飛行（高度200メートルくらい）で新宿や六本木の上空を頻繁に飛んだ。「一体、何が起きているのだ?」と多くの日本人がざわめいた。新聞でも報じられた。記事を載せる。

「渋谷から東京タワー、米海軍ヘリが超低空飛行」

在日米軍のヘリコプターが首都・東京で日本のヘリであれば違法となる低空飛行を繰り返している問題で、米海軍ヘリ「シーホーク」が渋谷駅周辺の繁華街や浜松町周辺のオフィス街で低空飛行をしている様子を毎日新聞が計5回確認した。大勢の人が行き交う渋谷センター街近くを低空で通ったり、東京タワー周辺を蛇行したりする飛行もあった。米陸軍ヘリ「ブラックホーク」が新宿上空などで低空飛行する様子も確認されており、都心の広範囲なエリアで危険な飛行が常態化していることが判明した。

毎日新聞は昨年7月から都心を一望できる都庁第1本庁舎展望室（新宿区）など高さ200メートル級の複数地点から調査した。

シーホークの低空飛行を確認したのは、10月29日▽11月12日▽12月14日▽同月17日▽1月20日の5回。複数の米軍基地がある神奈川県方面から渋谷駅周辺を経由して山手線内の上空に進入するなどした。高度は山手線内にある高さ200メートル台のビルと比べると、それより低いか、ほぼ同じだった。日本の航空法は、人口密集地では航空機から半径600メートル内にある最も高い建物の上端から300メートルの高さを「最低安全高度」と定め、それよりも高く飛ぶように規定している。
在日米軍司令部は取材に対して「(日本側との)合同委員会で定められた2国間合意を順守している」と回答した。今回の飛行について日本側に通知して許可を得たかどうかの質問には回答していない。

(2021年2月27日　毎日新聞)

私は初め、「米軍が竹中平蔵たちを捕まえに来たのかな」と思った。しかし、米軍関係者から聞いて分かった真実は、日本に脱出してきた米兵たちを捕まえるためだったのである。米軍は捕まえた脱走兵を収容するために、わざわざ大型の刑務所船まで日本に派遣した。それが今も横須賀の軍港にいる。古い言葉で言えば監獄船である。

この特殊な船が、2021年の10月から目撃されている。外観は10階建てのビルが、船に乗っているような感じだ。ただし、窓がほぼない。ベッタリと白い壁のままである。こうした異様な船が、横須賀に停泊している。

この監獄船で脱走して捕まった米兵たちは、厳しい尋問、すなわち拷問を受ける。これを英語で「ブリッグ・ブリッグ」と言う。ブリッグはブリッジと同じ、船を操縦する場所

都内を、航空法違反の超低空で、米陸軍の戦闘ヘリ「ブラックホーク」が飛行している

東京都渋谷区の「NTTドコモ代々木ビル」(高さ約270m)の横を飛ぶ「ブラックホーク」。他にも米海軍の戦闘ヘリ「シーホーク」の超低空飛行もたびたび目撃されている。(毎日新聞2021年6月21日)

である艦橋《ブリッジ》という意味である。その下の甲板も、ブリッグと言う。ここで、アメリカ海軍式の拷問にかけられる。これを、軍隊用の俗語で brig-brig と言うのだ。昔からの西洋人の船乗り用語である。

この台湾から米兵が集団脱走したという事実が、台湾情勢の裏側の激しい軍事スパイ合戦を物語っている。やはり、一触即発で戦争に突入しそうな気配は常にあるのである。おそらく日本に密入国した脱走兵たちは、中国向けに送り込まれているアメリカの軍事用スパイたちと重なっているだろう。そしてスパイは二重スパイという「血の法則」を持っている。だから裏切り合いのようなことが起きているのだろう。

スパイは発覚して捕まったら、尋問されて殺害される。スパイ活動には、「ジュネーブ4条約《コンベンションズ》」と呼ばれる「戦争捕虜（ウォー・プリズナーズ）を虐待してはいけない」という国際条約が適用されない。だから、殺しても国際法違反にはならない。中国とアメリカおよびイギリスの国家情報部員《インテリジェンス・オフィサー》たちの激しいぶつかり合いが、常に起きているのだ。

横須賀に突如現れた、奇妙な外観の米軍の監獄船

2021年10月20日、横須賀の米軍基地に米海軍のAPL67が配備された。（https://www.navy.mil/US-SEVENTH-FLEET/）

この船で、台湾から脱走して捕まった米兵たちが拷問を受けるのだろう。

タイワニーズたちの複雑な心理

今の台湾総統の蔡英文《さいえいぶん》（鼻ぺちゃ姉ちゃん）たち、中国から激しく独立したがっている人たちを、突き動かしているものは何なのか。私が台湾に調査に行って得た成果のひとつであるが、タイワニーズたち（本省人《ほんしょうじん》と言う）は複雑な心理をしている。

そもそも、蔣介石が中国共産党との国共内戦に敗れて、敗戦した軍隊とともに台湾に逃げてきた際に、北京や上海からついてきた金持ち、商人たちがいる。彼らが、そのまま台湾でも国民党を名乗った。

彼らは、1912年の孫文《そんぶん》による中華民国の建国以来の国民党の正統性（レジティマシー）を主張している。彼らはもともとの土着のタイワニーズたちからしたら、「外省人」である。ただ私が台湾を調査した際、外省人という言葉は聞かなった。

それに対してタイワニーズは、「自分たちは本省人だ」と言った。話している言葉が今もわずかに違うらしい。私の先生の故岡田英弘《おかだひでひろ》教授は、台湾には4つの民族がいて、4つの違う中国語を話していると書いていた。タイワニーズと外省人と原住民と華僑である。

これ以上の詳しいことは私には分からない。

今では混血も進んで、話している言葉もほとんど普通話《プートンファ》（北京官話）になっている。蒋介石がやってきて占領した時以来、台湾の国民教育は普通話で行われている。台湾語と呼ばれる閩南《びんなん》語の会話は、方言として残っていることは事実であろう。その区別は外国人にはつかない。

タイワニーズ（台湾人）が激しく今も怒っているのは、「自分たちは、蒋介石がやってきたときにたくさん殺されて、ひどい目にあった」ということである。1947年2月28日に起きた台湾の大虐殺事件である「2・28事件」だ。この時、たくさんの立派な台湾人が殺された。両手に穴を開けられて、針金で繋がれて、ズルズルと引きずられて、集団虐殺された。殺された台湾人たちは、日本統治時代にいい思いをして、生活も日本人風に近代化していた上層の人々である。私は、台湾調査でこれらのことをたくさん聞いた。

あの「2・28事件」の時、おそらくアメリカのCIAの援助で日本に逃げてきたのが、金美齢《きんびれい》女史たちである。主に早稲田大学が彼女らを亡命留学生として受け入れることになっていた。集団で漁船で逃げて来たのだろう。同じように、櫻井よしこさんたちも大きくは、アメリカのＣＩＡ人脈によって助けられたのだろう。記事を入れる。

「櫻井よしこ氏、韓国テレビ局に訂正放送求める公益財団法人への報道に対し名誉棄損の抗議」

ジャーナリストの櫻井よしこ氏は、２０２１年８月11日、自身のオフィシャルサイトに、「韓国ＭＢＣテレビによる名誉毀損行為に抗議します」という文章を掲載した。

この文章によると、ＭＢＣテレビの番組は、８月10日夜、「不当取引、国情院《こくじょういん》と日本極右」と題し、櫻井氏が理事長を務める公益財団法人「国家基本問題研究所（国基《こっき》研《けん》）」が、韓国の情報機関である「国家情報院（国情院）」から情報や金銭などの支援を受けていたと報じたという。

櫻井氏は「国基研は国情院を含むいかなる外国政府機関から支援を受けたことはありません」「韓国の公共放送であるＭＢＣの一連の報道は、名誉毀損行為であり許されません。断固抗議し、謝罪と訂正放送を求めます」と記している。

（２０２１年８月12日　夕刊フジ）

櫻井よしこさんたちは愛国者であるから、外国の国家情報部から資金をもらったとなると、やはり自分たち自身の中で問題になる。彼女がきっぱりと否定したのは、自分の立場を守るためだろう。

KCIA《ケイシーアイエイ》（韓国中央情報部）は1999年に、韓国国家情報院（国情院《こくじょういん》）と名前を変えた。恐らく今の文在寅《ムンジェイン》政権は、北朝鮮と気持ちが繋がっていて、北《きた》敵視政策をとる気はない。今の南北は仲がいい。その前の韓国の政権とは、ガラリと大きく考えが違う。

だから、国情院のトップたちの人事で、アメリカCIA（国務省の一部）に忠誠を誓う者たちが、今は主要ポストから外されて、冷や飯を食っている。そのなかのひとりが、韓国のテレビ番組でポロリとしゃべってしまったのだ。

文在寅の親北《しん》派ではない者たちにしたら、「以前は日本とも仲良かったのに」という感じだろう。今の韓国の国家情報部に内部闘争があることの表れであろう。

「もう戦争で死ななくていい」という、韓国人にとって腹の底から湧き出る喜び

韓国のことを私たち日本人が考える上で、一番大事なことは何か。今の韓国人の一番大きな変化は何か。

金正恩《キムジョンウン》と文在寅が仲良く手をつないで、38度線をぴょんと飛び超えた。2018年4月27日のことだった。この時、韓国国民は腹の底から思い知った。「もう、自分たちは同じ民族どうしで殺し合いをしなくてもいいのだ」と。すなわち、北朝鮮軍と韓国軍が撃ち合って殺し合うことは、もはやない。自分たち韓国人が戦乱で大量に死ぬことは、もうないのだ。

これが韓国人の心理の一番大きな変化だ。私は直接韓国人に聞いたわけではないが、どうしてもこう思う。ところが、この考えを誰も書く人がいない。戦争で一番最初に死ぬのは、兵隊になった若者たちだ。彼らが38度線の最前線で真っ先に死ぬ。

韓国は徴兵令《ドラフト》があるから、男は全員軍隊に行く。私はこの韓国人たちの気持ちを推し量

った。これまでずっと北朝鮮軍と対峙してきた軍人たちも、「同じ民族で殺し合いをするのは、ヤメにしよう」「国際社会の対立の道具にされて、朝鮮・韓国人が殺し合うのは愚かである」と。

軍人、兵士と付き合っている韓国の女性たちも、全く同じ感覚に一瞬のうちに到達したはずだ。兵士の家族たちも同じだ。そして、北朝鮮側も全く同じ反応をしただろう。だから、北と南の国民は、もう戦争なんかする気はないのだ。政府レベルであっても、いくら対立し、いがみ合っていても、根底のところでは、「もう同族で戦争はしない」となっているはずである。

今から76年前の日本の敗戦で天皇の玉音《ぎょくおん》放送が流れたときに、何が一番重要なことだったか。ニューズ番組などで何十年も飽きもせず、8月になると流される皇居前で泣き崩れる日本人たちの姿ではない。本当の本当は、日本人の大きな変化は、「もう自分は死ななくていいんだ」という腹の底から湧き起こる喜びだったはずだ。

自分の周りの人たちは死んだ。戦場や空襲で。しかし、自分は死ななかった。自分も兵隊として前線に連れていかれて死ぬ予定だった。あるいは、空襲で死ぬはずだった。ところが、終戦で、「もう、これで死ななくていいんだ」となった。

この時、自分の体内からあふれ出る喜びが、生き延びた日本人にあったはずなのだ。この考えは、これまで日本の歴史学者も知識人たちも、決して書かない真実だ。だが、民衆はそう思っていた。

このあと、青空の下の焼け野原の闇市に、日本人はものすごい勢いであふれかえった。必死に食べ物を探し求めた、その時の日本人の姿こそが大事だ。それでも生き延びた自分のなかに、大きな喜びが生まれたのである。

そして、喜びにあふれた若い男と女がくっついて、子供がボコボコできた。その頃の様子を描いてヒットした小説が、大岡昇平の『武蔵野夫人』や田村泰次郎の『肉体の門』であった。買い出し列車で臨検《りんけん》にあわないよう、必死に食料を抱えて逃げた女たちの話が取り上げられた。だが、その頃の日本人は、それ以上の大きな喜びを感じていたのだ。

この「自分は好きに生きていけるんだ」という動物としての無上の喜びが、なぜかどこにも書き残されていない。「きけ、わだつみのこえ」や原爆の死者たちへの追悼の声が満ちあふれた。そして、戦争反対と天皇制軍事体制への怒りの声に置き換えられていった。

だから私たち日本人が今、韓国人を理解しようとするなら、「もう死なないでいいんだ。

同じ民族で殺し合わなくていい」という韓国人の湧き起こる喜びを、共感をもって知ることだ。これは、私一人の勝手な感情だとは思わない。今の韓国人は、北朝鮮が絶望的な狂気の独裁体制だと思っていない。あくまで、同族の人々なのだ。

アメリカに対しては複雑な気持ちである。アメリカ軍にこのまま韓国にいてもらって、自分たちを守ってほしいと今も思っている。ところが、その一方で在韓米軍は韓国から出ていって、アメリカに帰ってほしいとも思っている。在韓米軍の撤退《ウィズドロー》問題は、日本でもタブーになっていて、誰も書こうとしない。

しかし、この動きはもう止められない。なぜ、P114で論じた「クアッド」に韓国政府が呼ばれなかったか。それは、この韓国人の多数派のアメリカ離れがあるからだ。さらに踏み込んで言えば、韓国は中国のほうに少しずつ接近している。

ただし、現在の厳しい世界情勢のなかでは、今のまま北と南の2国がズルズルと共存していくだろう。簡単には統一しない。「高麗《こうらい》連邦」すなわち「コリアン・コンフェデレーション」という連邦国家の形で、穏やかに南北朝鮮は続いていくのではないかと私は思う。

本当は、ソビエト崩壊（1991年12月25日）より前、ドイツのヘルムート・コール首相がただちに急いで東ドイツを統一した（1990年10月3日）ことのほうが、より優れたやり方だ。

だが、東アジアではそうはいかない。金日成思想（主体思想《チュチェ》）というものの影響が、韓国側にじわーっと浸透していくことに対する韓国民衆の反発がある、民族統一感情はものすごく強いが、一方で金日成思想によって自分たちがひとつの考えにまとまることを、韓国人は許容しないだろう。

このことは、これからの中国でも起きることである。台湾人は、共産主義を受け入れない。だから、北京のほうが共産主義を捨てるだろう。これは世界政治思想の大きな歴史のなかで、何が人類にとってより優れた政治体制であるかに関する、大きな価値判断（ヴァリュー・ジャッジメント）の問題である。

それでは、中国が素直にデモクラシー（代議制《だいぎせい》民主政体）に完全に移行するかと言うと、それも難しい。なぜならある種の独裁制がなければ、中国のような広大な領土と、たくさんの民族（漢民族と55の少数民族）と、膨大な人口（14億人）を制御することはできないからだ。

西側諸国は自分たちを民主国家《デモクラシー》だと軽く信じ込んでいるが、本当はそうではない。どこの国も、裏に隠れた独裁者たちがいるのである。それがディープ・ステイトである。あんまりキレイ事は言わないほうがいい。

デモクラシーは、紀元前400年くらいにギリシアのアテネだけで唯一始まった政治制度だ。この時、賢帝ペリクレス（紀元前495～429）とソクラテス（紀元前469～399）がいて、かろうじて作られた政治体制である。

この言葉の語源はデモスクラティア demos kratia と言って、民衆《デモス》の代表者による支配《クラティア》と言う意味である。王様や貴族が代々支配することを拒絶する。デモクラシーは×民主主義と訳してはいけない。本当は選挙制度に基づく◯民主政治のことだ。イズムすなわち主義ではない。

ペリクレスは極めて優れた、アテネの指導者だった。他の独裁者たちとは全く違った。寛容の精神があって、人々に物凄く尊敬された。尊敬こそが制度を作るのだ。アテネはギリシアの都市国家の1つなのだが、ペリクレスよりも80年前にペルシャ帝国からの侵略があった。これをアテネは防いだ。かつ、そのあとペロポネソス戦争があって、スパルタとも戦った。当時のアテネは帝国ではなかったのだが、周りの都市国家《ポリス》をまとめ上げる力があった。だからペリクレスは、その穏やかさと賢さで賢帝と呼ばれる。

私は、このことがわかる気がする。デモクラシーは、こうしてギリシアで発生、出現したことになっている。ほんの２４００年前の話だ。

第4章

テクノロジー開発競争と欧米諸国の没落

中国と台湾はＴＰＰに加盟できるのか？

中国と台湾が相次いで（中国は9月16日。台湾は9月22日）、ＴＰＰへの加盟を申請したという問題がある。結論を先に言うと、中国が先に入る。そのあと、台湾もエリアとして入る。アメリカはどうするか。今さらアメリカがＴＰＰに再び入ってくることはないだろう。なぜなら、自分で出ていったのだから。

２０２２年1月にＲＣＥＰ《アールセップ》（地域的な包括的経済連携）が発足する。これはＡＳＥＡＮ《アセアン》10カ国を中心にして、日本と中国、韓国など計15カ国が参加するブロック経済である。これがＴＰＰへの試金石なのだ。そしてＴＰＰへの参加を足がかりにして、中国は自分の力を発揮するだろう。中国だけ入れて、台湾を入れないというわけにはいかない。

では、中国のＴＰＰ入りの本当の目的は何か。

それは、中国が中南米諸国への影響力を作ることである。ＴＰＰはＷＴＯ（世界貿易機関）という国際機関の下に位置づけられる、国際的な自由貿易協定として認められている。だから中国がＴＰＰ（環太平洋パートナーシップ協定）に参加すれば、文字通り環太平洋

台湾のTPP入りはどうせ嫌われる

■日本の2020　対中国輸出

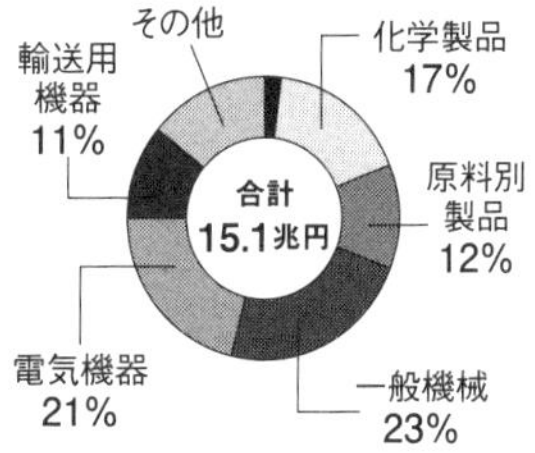

■日本の2020　対台湾輸出

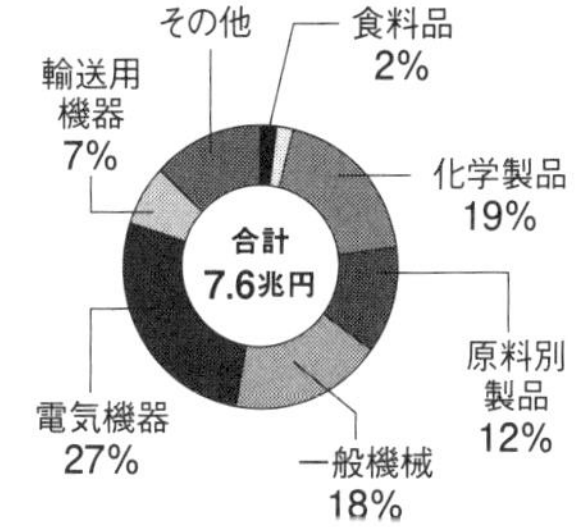

■日本の2020　対中国輸入

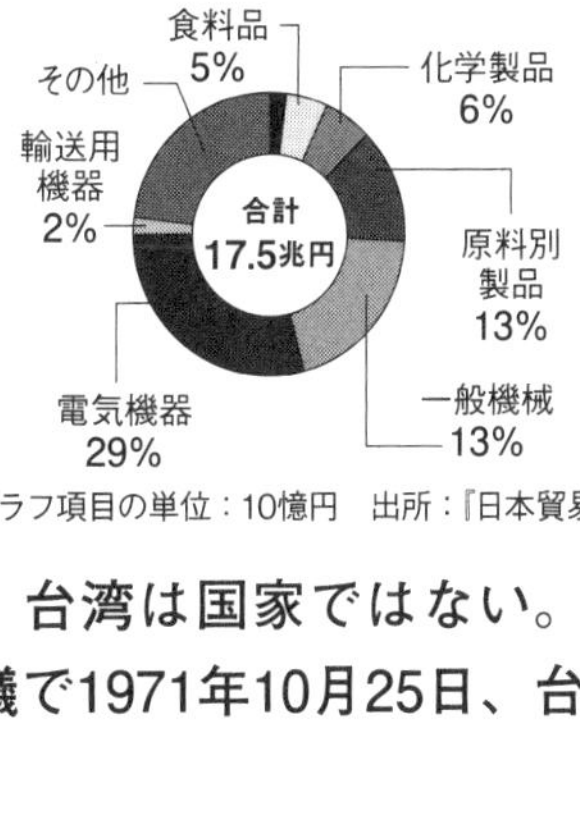

■日本の2020　対台湾輸入

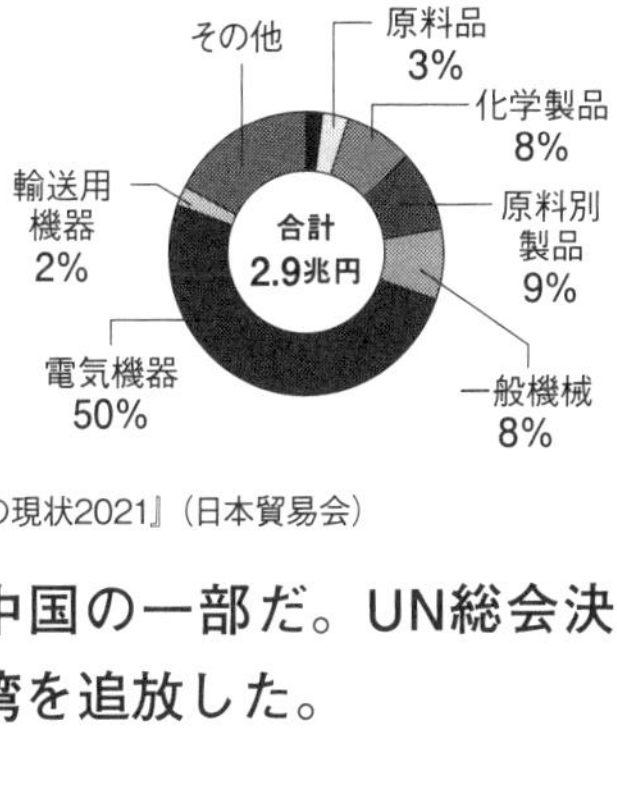

グラフ項目の単位：10億円　出所：『日本貿易の現状2021』（日本貿易会）

台湾は国家ではない。中国の一部だ。UN総会決議で1971年10月25日、台湾を追放した。

での自由貿易の恩恵を受ける。TPPの理念と目的に従って、中国が中南米諸国に自由に貿易アクセスできるからである。短い記事を載せる。

「チリ、中国のTPP加入「固く支持」　外相電話会談で表明」

中南米チリのアラマン外相は10月13日、中国の王毅《おうき》外相と電話会談し、中国の環太平洋連携協定（TPP）加入に「固い支持」を表明した。

中国外務省が発表した。ただ、チリ側は電話会談自体を公表していない。

中国側によると、王氏は「中国は正式にTPP参加を申請した。これについてチリと意思疎通する準備ができている」と表明。アラマン氏は「チリは中国のTPP加入を固く支持する」と応じた。アラマン氏は、台湾を含む「一つの中国」原則への「揺るぎない支持」も表明したという。

（2021年10月14日　時事通信）

アメリカは、この中国の動きを見抜いている。しかし、アメリカはトランプ政権のときに自ら進んでTPPから脱退した国である。今さら頭を下げて「再び仲間に入れてくれ」と頼むのもしゃくだろう。バイデン大統領もそういう態度だ。記事を載せる。

「大統領貿易権限が期限切れ　TPP復帰見通せず―米」

米国で包括的な自由貿易協定を批准するのに不可欠とされる「大統領貿易促進権限（TPA）法」が7月1日、期限切れを迎えた。バイデン大統領は国内産業の競争力強化を優先し、新たな貿易協定交渉を当面行わない方針なので、議会に更新を求めなかった。米国の環太平洋連携協定（TPP）への復帰は見通せない状況だ。

TPAは米議会が持つ通商交渉の権限を大統領に一任する仕組みだ。政府が合意した貿易協定に対する議会からの修正を封じる。1970年代から成立と失効を繰り返し、直近ではオバマ政権がTPP交渉を主導していた2015年に成立した。TPPで再交渉を避けたい日本は、「TPAがないと対米合意に応じない」と主張してきた。

米議会や産業界では、地域的な包括的経済連携（RCEP《アールセップ》）合意に続いてTPP加入を目指す中国に対抗するため、米国にTPP早期復帰を求める声が上がる。ところが、バイデン政権は来年の中間選挙を前に、雇用を奪われるイメージがどうしてもつきまとう包括的な貿易協定交渉は避けたいのが本音だ。

現在のキャサリン・タイ通商代表部（USTR）代表は、「米中の第1段階貿易合意など、すでに発効済みの協定の履行を相手国に徹底させることに重点を置く」と表明。バイデン政権としては、「TPAが定める交渉の原則のうち、労働や環境の規定を強化することが先決だ」と議会に訴えるとともに、現時点ではTPP復帰に慎重な姿勢を貫いている。

（2021年7月1日　時事通信）

アメリカは、このような国内事情があるから、TPPの参加を見送る。中国としては、TPPに入ることで、自国内で労働組合を許すことや、さらに厳しい環境基準を受け入れることになることを、むしろここにきて喜んでいる。今の中国政府は、TPPでさらに一歩踏み込んだ貿易関税障壁《タリフ・バリア》の撤廃を、むしろ積極的に受け入れようとしている。中国の民主国家《デモクラシー》への道への第一歩である。

アメリカの裏庭に入り込む中国

中国はＴＰＰという多国籍協定を旗頭にして、アメリカの裏庭（バックヤード）とされる南米諸国にこれから物凄い量の物流網を作っていくだろう。現在、ニカラグアに建設中のニカラグア運河ができると、カリブ海に向かって大きな風穴がドカーンと空く。今のパナマ運河の拡張工事にお金を出したのも中国である。

それでも、パナマ運河の通行では中国は嫌がらせを受けている。中国としては、そんなことで負けるわけにはいかない。だからパナマ運河より少し北に、もう1つ大きな運河を作りつつあるのだ。

この海運の新しい通路により、まさしく中国の「一帯一路」（ワンベルト・ワンロードbelt and road initiative）が南米大陸へと繋がる。ニカラグア運河さえできれば、アメリカから邪魔される口実も消えるので、キューバとすぐに連携する。そして、ベネズエラに到達し、そこからさらにブラジル沖をぐるっと回ってアルゼンチンまで到達する。

中南米諸国は、もう２００年間、北アメリカ帝国（ヤンキー帝国）からの支配と資源の収奪に散々苦しめられてきた。だから、中国のTPP入りを歓迎して受け入れる。

もうひとつはISDS《アイエスディーエス》という、アメリカが最初にTPPを作った時以来振りかざしてきた条文がある。このISDS条項は、参加国からものすごく嫌がられていた。なぜなら、ISDS（Investor-State Dispute Settlement 投資家対《たい》国家の紛争解決）の制度が導入されると、アメリカの大企業が進出した先の国で、少しでも差別的な取り扱いを受けたことが分かったら、なんとその米大企業はその国の政府を訴えることができ、損害をその国に賠償させることができる。この、とんでもない大国横暴主義の他国への主権侵害の条文があったので、TPPの交渉は長年もめ続けたのだ。

今回はアメリカが入ってこないから、ASEAN諸国と南米諸国が仲良く、途上国としての自分の国の遅れた産業を防御しながら、穏やかに少しずつ自由貿易体制のなかに入っていくことができる。ここでも中国は指導国としての役割を発揮していくことは、もはや火を見るより明らかだ。

トランプ前大統領たちにしてみれば、長年の共和党の理念である「多国間《たこくかん》貿易協定で自分たちの自由が制限されるのがたまらない」というのがあった。P105で述べたビッグテックの横暴は、中国でまず打倒され、アメリカでもビッグテックは解体され国有化される危機に陥っている。アメリカのビッグテック解体については『コロナ対策経済で大不況に突入する世界』（祥伝社、2021年）に詳しく書いた。

だがしかし、ビッグテックは、あくまでインターネット網を使った通信革命が生んだ、金融業までを含む通信産業でのアメリカの世界支配の道具だった。

孟晩舟とカナダ人スパイの交換劇

9月24日に、カナダで約3年間拘束されてきたファーウェイの創業者、任正非《じんせいひ》の娘で同社CFO（最高財務責任者）である孟晩舟《もうばんしゅう》が解放され、中国へ帰国した。と同時に、中国が、その報復として捕まえていたカナダ人元外交官と実業家の2人を同時釈放した。

前のほうで書いたが、9月24日にワシントンでクアッドの4カ国首脳会談が開かれた。それが終わった直後に、アメリカ政府がこの釈放劇を決断した。どうもトニー・ブリンケン国務長官が弱気になっており、対中国で強硬な姿勢をとることをやめた。そして、孟晩舟の釈放が決まった。

この変化の裏にあるのが、バイデン政権内部の権力争いである。どうやら、アメリカの大統領直属の最高会議である米国家安全保障会議（NSC《エヌエスシー》）のインド太平洋調整官《モデレーター》であるカート・キャンベルの対中《たいちゅう》強硬路線が負けたらしい。だからこのあと、台湾周辺での軍事演習が終わった。

ここにはイギリス海軍の空母であるクイーンエリザベスも来ていた。この軍事演習は、大英帝国の栄誉を未だに忘れられないイギリスが、強硬に開催を主張した。ところが、クイーンエリザベスのなかでコロナウイルスが蔓延して、あたふたしたという事件が起きている。横須賀港に一瞬入って国家儀礼を行った。だが、韓国の釜山港には、入港させてもらえなかった。

なぜ、アメリカが急に対中外交で腰砕けになったたか。その理由は、その前の8月15日に起きてしまったカブール陥落である。アフガニスタンまではアジアに属する。世界を支配する地理政治学（ジオポリティックス。地政学）に基づき、アメリカの世界管理戦略上、アフガニスタンまでがアジアに入る。

ここで大崩れが起きた。首都のカブールが陥落し、米軍の橋頭堡《きょうとうほ》がここで崩れた。ということは、アメリカの世界管理の敗北である。アジア全体における、アメリカの影響力

それでもファーウェイは死なない

2021年9月25日、3年ぶりに帰国するファーウェイ創業者、任正非《レイジャンフェイ》の娘、孟晚舟《メンワンジョウ》CFOとそれを熱烈に待ち受ける中国民衆。ファーウェイはスマホ事業で4兆円の減収となったが心配はない。中国の6G関連特許（すべてファーウェイ）は世界の4割を占めるなど、次の次を見据えて動いている。

が衰退したのである。

アメリカ国内のメディアは、「アフガニスタンに割いていた米軍の軍事力を南シナ海、すなわち中国包囲網に集中できるから有利になった」と主張した。しかし、それは単なる強がりにすぎない。覇権戦略に失敗したアメリカは、フォワード・デプロイメント（前方《ぜんぽう》展開戦力《てんかいせんりょく》）がアフガニスタンで消滅したのである。

作戦では、アメリカが育てた傀儡政権のアフガニスタン政府軍の30万人によって、首都カブールだけはタリバーン勢力と対決し続ける計画だった。それが一気に崩れて、その30万人のアフガニスタン正規軍は一瞬で消滅した。

米軍は私たちがテレビのニュース放送で見たように、大混乱のうちに撤退していった。アメリカ軍に忠実な2万人は、輸送機でアメリカに連れていったようである。そうしないとタリバーンに殺されるからだ。

アメリカは中国と対決しようというポーズだけは取っている。しかし、それをするだけの軍事力がアメリカにはもうない。

このことを、トニー・ブリンケン国務長官は分かっている。だから、9月24日のクアッドが終わった直後の声明で、中国を名指しで叩くことをしなかった。そして、同じ日に孟

まるで大英帝国最後のあがきのように、空母「クイーンエリザベス」を送り込んできたイギリス。アメリカ軍艦と並ぶ。フィリピン海での西側諸国の軍事演習

オランダ海軍の軍艦も英空母打撃群「CSG21」の一員としてアジアに初めて来航した。「東インド会社」の栄光よ再びと言わんばかりだ。2021年7月29日。

晩舟を釈放したのである。

この同時釈放は英語で simultaneous exchange《サイマルテニアス　エクスチェンジ》という。こうした同時交換は、歴史上は戦争捕虜を交換するものだ。停戦協定（シース・ファイア・アグリーメント）が結ばれた後、双方の捕虜、あるいは国家スパイを助け出すための外交慣習として行われてきた。国境線の橋の上でやるのが通例だ。

映画でも、このスパイの交換シーンが描かれている。一番有名なのはマイケル・ケインが主演した1966年公開のイギリス映画『パーマーの危機脱出』や、スティーブン・スピルバーグ監督で、トム・ハンクスが主演した『ブリッジ・オブ・スパイ』（2015年）である。いずれも、東西冷戦下のベルリンが舞台の映画だ。

中国が捕まえていたのは、明らかに北京で自由に動き回っていた007そっくりのカナダの国家情報部員である。孟晩舟とカナダ人スパイたちの交換は、両者が同時に飛行機に乗り、自国に帰る形で行われた。女1人に対し男2人を捕まえていたというあたり、中国はなかなか芸が細かい。

まさにスパイ映画さながらの捕虜同士の同時交換が中国とカナダの間で行われた

カナダ	中国

孟晩舟はカナダで1000日間、自宅拘束された。その間ずっと足首に逃亡防止のGPSをつけられていた。この足首飾り（アンクレット）は有名になった。2人のカナダ人は、いかにも007の国家スパイという顔つきだ。

6Gすなわち量子コンピュータ開発をめぐる日米中の争い

この本ではファーウェイ社の話はしない。しかし、ファーウェイが着々と5Gを世界基準として押さえていることを指摘しておく。

それに対して、アメリカは見栄を張って5Gに続く「6Gの世界特許の半分以上はアメリカの企業が押さえている」と主張している。だが、私にはどうもそうは思えない。

6Gとは簡単に言うと、量子《クアンタム》コンピュータの開発のことである。6Gが象徴する量子暗号通信のことについては、私が1年前に書いた中国本『アメリカ争乱に動揺しながらも中国の世界支配は進む』（ビジネス社）で詳しく説明した。争われているのは、量子暗号通信を地上のインターネットの回線でやるか、宇宙衛星を経由した衛星回線を使ってやるかの問題である。

だが、もっと根本的なことを指摘すれば、もはやアメリカは量子コンピュータ（クアンタム・コンピューティング）を開発することはできない。だから中国と競争させるために、日本人の先端学者たちを利用することに決めた。日本には「量子アニーリング」という理論を作り上げた東工大の西森秀稔《にしもりひでとし》研究室が、量子コンピュータ開発の先頭を走っている。だが、この研究チームには、中国人の若い研究員たちが入っている。つまり、東工大の研究成果は中国に流れている。

これを阻止するために、アメリカは東大の荒川泰彦《あらかわやすひこ》研究室を支援することに決め、量子コンピュータの開発をやらせている。ここでは、中国人の留学生を完全にシャットアウトしている。

中国人留学生を締め出す動きは、トランプ政権以来、公然とアメリカで出てきて法律までできた。日本でも急いで法制化しようとしている。これ以上、情報流出することを防ぐためだ。記事を載せる。

「留学生経由の技術流出　外為法厳格化で防止へ」

日本政府は6月2日、今後取り組む経済政策を盛り込んだ成長戦略実行計画案を公表した。先端技術をめぐる米国と中国の対立を受け、留学生らを通じた技術流出を防ぐために規制を強化する。コロナ禍で打撃を受けた企業の再生をしやすくする法制度の検討や、政権が掲げる脱炭素に向けたインフラ整備なども盛り込んだ。

計画案は今後、与党などとの調整を経て、月内に閣議決定する予定。今回の特徴の一つは、最近の米中対立を背景に、経済安全保障政策を柱に据えたことだ。

具体的には、「武器などに転用できる技術の流出を防ぐ外国為替及び外国貿易法（外為法）」の運用を厳格化する。外為法《がいためほう》では、日本国内でも外国人にこうした技術を提供することは「みなし輸出」として、経済産業相の許可がいることになっている。しかし、いまは国内に半年以上滞在する外国人留学生や研究者らは「居住者」として扱い、許可を求めていない。このため、来年度にも規制の対象に加える方向で検討する。

このほか、「外国の資金を受け入れている大学や研究機関が公正な研究をしているかどうか、情報開示の対象を広げる」とした。安保の観点から特許の非公開化を行う措置も検討を進める。


（2021年6月3日　朝日新聞）

ここで大事なのは、なぜアメリカが日本人に量子コンピュータの開発を任せようとしてるのか、である。これは、アメリカの学者や技術者では、もはや量子コンピュータの開発ができないからだ。量子コンピュータの研究における「3体問題《さんたい》」や「量子のもつれ《エンタングルメント》」については、どうもアジア人でないと深く研究できないようである。

私が前著で書いたので、詳しくはここでは書かないが、「グー・チョキ・パー」のジャンケンなるものができるアジア人しか、「2体問題」を超えた「3体問題」に対応できないらしい。

なぜなら、欧米白人の文明は、コイントスに見られる通り、「AかBか」の2つとしてしか、論理学（ロジックス）という学問を発達させることをしなかった。アリストテレス以来、西洋の学問はAかBかの2元論（デュアリズム）でできている。

だからこそ、アメリカは量子コンピュータの開発を、東大の荒川研究室に任せることに決めた。荒川研究室には、IBMが持っている300個以上の量子コンピュータの特許を自由に使わせるようである。記事を載せる。

「量子技術、社会への実装戦略急げ　東大の荒川泰彦氏」

欧米や中国の政府、企業が量子コンピューターなどの「量子技術」に巨額の資金を投じ、研究開発を強化している。日本はどう立ち向かうべきか。政府の「量子技術イノベーション戦略」の策定にも携わる東京大学の荒川泰彦特任教授に現状や課題を聞いた。

――量子技術の研究開発が世界で活発です。

「米国のグーグルやＩＢＭが量子コンピューターの開発に参画し、にわかに活気づいてきた。量子コンピューターの実用化はまだ先のことだと誰もが認識している。だが、産業界が取り組み始めたことが大きなメッセージになった。カナダのＤウエーブ・システムズによって『量子アニーリング』という方式が登場し、期待に火を付けた面もある」

――日本の現状をどう見ますか。

「日本でも量子技術の研究は基礎研究として行われてきたが、推進政策は省庁ごとにバラバラだった。国全体の戦略をまとめることで、本格的に研究に資金を投入しようという状況になってきている」

「現在の量子コンピューターの研究をけん引しているのは確かに欧米だ。だが、日本れが遅れているとは思わない。量子センサーなどは日本にも良い種《タネ》がある。ただ、それを社会に実装《じっそう》できるかが今後の課題だ。今まで日本はそこが十分ではなかったのは事実だ。とくに米国はその部分に強い。グーグルも含め、展開戦略に優れている」

――日本は世界とどう勝負すべきでしょうか。

「分野ごとに考える必要がある。量子センサーなどは産業界との連携が重要だ。日本には優れた電機メーカーや計測器メーカーがある。大学と連携して取り組めば大きな市場をつくっていける可能性がある」

「量子コンピューターについてはすべてを自前でやる必要はない。日本が得意とする材料技術などを生かし、ある領域をきちんと取れば一気にマーケットが開拓できる。量子コンピューターの実用化はまだまだ先なので、今後10年で革新的な取り組みを行えば、ゲームチェンジが起きて日本がリードすることもあり得る。そこに期待したい」

――量子技術の分野では人材不足が課題です。

「重要なのは成功モデルをつくることだ。量子コンピューター用のソフトウエアの会社をつくって成功する、あるいは量子技術に基づく革新的な研究をする人が企業でも優遇されるといったイメージをつくり出す必要がある」

「最近、人工知能（ＡＩ）の技術者などに、入社してすぐ年収１０００万円を出すといった話があるが、量子技術に関してもこうした事例が出てくれれば、優れた人材が集まるようになる」

（２０１９年10月18日　日本経済新聞）

このように、中国と競走するために、６Ｇ《シックスジー》としての量子コンピュータの開発が、半導体の開発競争の次に来るものとして位置付けられている。

これ以上の難しい物理学の話は私にはわからない。だが、当然中国のファーウェイも、前の本で紹介した量子コンピュータ研究の最高峰である中国科学技術大学も６Ｇを目指して、量子コンピュータの開発に本気になっている。

アメリカから離れていく台湾の半導体大手ＴＳＭＣ

世界中で半導体の在庫が切れつつある。そのため世界中の製造企業《メーカー》が困り始めている。誰かがどこかで半導体の買い占め、買い溜めを行っているかららしい。アメリカ政府は台

台湾のTSMCの創業者、張忠謀《ちょうちゅうぼう》(90歳)は、アメリカ工場を建設するための政府補助金をインテルが横取りしていると怒った

2021年10月26日、台湾の半導体最大手TSMCの創業者である張忠謀（モリス・チャン）が、米インテルのCEOパット・ゲルシンガーを公然と罵った。アメリカ政府が約束を守らなかったからだ（日経新聞2021年10月27日)。TSMCはアメリカを見限って、中国につくだろう。

湾の半導体最大手ＴＳＭＣ《ティーエスエムシー》（台湾積体《せきたい》電路製造）の幹部らを呼びつけて、「誰がどこで過剰発注し、供給がなぜ滞っているのか」と、頭ごなしに上から叱責した。

こうした横暴なアメリカのやり方に対して、怒ったＴＳＭＣのアメリカ離れが始まっているようだ。創業者である張忠謀《ちょうちゅうぼう》（モリス・チャン）が、次のようにアメリカのインテルのＣＥＯを名指しではっきりと罵倒している。日経新聞の記事を載せる。

「ＴＳＭＣ創業者、米当局やインテルを痛烈批判　半導体巡り」

半導体大手の台湾積体《せきたい》電路製造（ＴＳＭＣ）と米国が舌戦を繰り広げている。ＴＳＭＣ創業者の張忠謀（モリス・チャン）氏は10月26日夜、台北市内の講演で「もう米国は昔のような（半導体が強い）国に戻ることは不可能だ」と語った。半導体で連携する方向にあった米当局やライバルの米インテルが最近、ＴＳＭＣへの態度を強めていることに不満を示し、反論した格好だ。

米国では現在、半導体の自国内での生産を強化するため、５２０億ドル（約6兆円）の補助金を活用し、海外企業の誘致や国内企業を支援する方向で検討が進んでいる。

ただインテルのパット・ゲルシンガー最高経営責任者（CEO）は「米国の税金は米国企業に使うべきだ」と主張し、特にライバルのTSMC支援には、強い反対姿勢を見せている。

一方で、TSMCは米政府の強い要請を受けて、アリゾナ州に先端の新工場の進出を決め、巨額補助金を前提に既に着工している。後には引けず、インテルの「口先《くちさき》介入」に対し、強くいら立っている状況だ。

さらに米当局の対応にも不満がある。いまだに補助金の確証が得られないばかりか、最近は補助金支給に絡み、TSMCに対して詳細な企業情報の開示まで求めてきた。米議会で肝心の補助金そのものの審議も進まないなか、張氏も黙ってはいられなくなった。

張氏は講演で「私は、こいつ（ゲルシンガー氏）を含め、インテルのCEOを歴代みな知っているが、彼は（礼儀知らずの）無礼者だ」と痛烈に批判した。その理由として「（自分と交流もあったゲルシンガー氏が最近、米国が半導体を調達する上で）台湾や韓国は非常に危ないと（米当局に）盛んに宣伝し、訴えている。そして自らは米政府から520億ドルの補助金を得て、米国に工場を建設しようとしているのだ」

と強調した。

さらに張氏は言う。「米国は今後、世界の42％の半導体生産シェアを確保した1990年代の強い時代に戻りたいのだろうが、かなり難しい。米国はコストが高すぎる。（生産強化は）米国の半導体の競争力向上にもつながらない。1000億ドル以上かけても、米国でサプライチェーンを整備できない」と厳しく指摘した。

張氏は講演の最後に「こいつ（ゲルシンガー氏）は5年前にも無礼なことがあったが、今もTSMCに対して失礼だ。今日（の講演）はそのお返しをしているだけだ」と強調した。


（2021年10月27日　日本経済新聞）


TSMCという台湾最大、いや世界最大の半導体のファウンドリー（製造会社）は台湾人から深く尊敬されている。TSMCは台湾人を大事にして、工場でコキ使うことはしない。給料も高く払っているそうだ。このことを私は現地で聞いた。

それに比べて鴻海《ホンハイ》精密工業（郭台銘《かくたいめい》）も台湾から始まった企業なのに、人使いが荒いと評判が悪い。ホンハイはアップル社のスマホ「アイフォーン」の90％以上を、今も中国で製造している。ホンハイもファーウェイも、ＴＳＭＣからの半導体が届かなければ、工場ラインが止まるとまで言われている。半導体を誰が買い占めているのか、まだ分からない。そのうち分かる。

ＴＳＭＣはファブレス（半導体の設計会社）ではなくて、その下請けであるファウンドリー（製造工場）である。それで世界一のファウンドリーになった。だがファブレスが下請け扱いしているうちに、最先端の半導体の設計まで全部、自分でできるようになったようだ。だから、ＴＳＭＣはアップルに対してさえ、強気になりつつある。

ファーウェイ戦争のときに、アメリカ政府が台湾防衛をエサにして、ＴＳＭＣにも圧力をかけて、ファーウェイへの半導体供給をやめさせた。だが、ここにきて、このようにアメリカ政府の戦略はうまくいかなくなっている。台湾人は、やはり中国人なのである。

ＴＳＭＣは日本の熊本に工場を建てることを決定した。このことも、ＴＳＭＣと台湾勢のアメリカ離れの慎重な動きと関係があると、理解しなければならない。

「COP26」をめぐる中国とイギリスのつばぜり合い

最新の動きであるが、11月3日に行われた気候変動に関する国際会議「COP26」に、中国の習近平は行かなかった。このことに苦言を呈したのが、主催国であるイギリス政府だけでなく、なんとエリザベス女王本人（95歳）だった。

女王はCOP26開催に先立ち、「COPについていろいろ聞いているが、誰が出席するのかがいまだに分からない」「欠席する人のことしか、私は聞いていない。口だけで何もしないのは実にいら立たしい」と文句を言った。この発言が流出した。なぜ高齢で、もうすぐ公務もできなくなるとわかっているエリザベス女王が、このような中国批判の発言をしたのか。

このCOP26に、無理やり各国の指導者を勢ぞろいさせ出席を強要したことには、深い意味があるようだ。エリザベス女王にしてみれば、もうすぐ自分が死ぬとわかっている。だからCOP26で最後に仕掛けをして、世界の主要国に対して、イギリスを盟主とする国際的な取り決めの約束をさせ、それを必ず守るよう言質《げんち》を取ろうとしたのだ。

中国のイギリスに対する阿片戦争《オピアム・ウォー》（1840年）からの180年間の恨みは深い。あの時から中国の大きな苦難が始まったからだ

2015年10月にイギリスを訪問した習近平。習近平はエリザベス女王と2人で黄金の馬車に乗ってバッキンガム宮殿に入った。イギリスにしてみれば最大限のもてなしだった。だが中国人は、イギリスが中国にした領土割譲と屈辱的な条約押し付けを、今も怒っている。

しかし、こういうとき中国はその怪しさ、危うさを見抜いて、そこからサッと離脱する。この中国の判断は、いつも極めて的確である。今の中国の指導者たちは物凄く優秀だ。自分がワナにはまって騙されることに対して、極めて真剣に考える。だから、判断がしっかりしている。

今回のイギリスのエリザベス女王の発言は、中国を大きく騙そうとした大英帝国の最後のあがきの失敗だ。中国はイギリスに対して、今も極めて特殊な感情を抱いている。そもそも中国人は、決して表面だって感情的な発言はしないが、今の中国共産党は腹の底からイギリスに対して怒っている。それは、180年前のアヘン戦争（1840～42）の時、イギリスが中国に対して行った、卑劣で非道な歴史的な侵略行動に対する怒りである。

アヘン戦争の時から、中国（大清《しん》帝国）の絶望的な敗北と悲惨な国家衰退が起きた。それに比べれば、1931年の満州事変以来の日本軍による中国侵略に関しては、今の中国政府は実はそれほど怒ってはいない。日本が頓馬《とんま》な白人モノマネ国として、帝国を気取って中国やアジア諸国に軍事拡張したことは、本当はイギリスとアメリカに騙されて嗾《けしか》けられてやったことだと、中国は分かっている。

毛沢東にしてみれば、自分たちが死ぬほど怖かった蔣介石の国民党軍を、日本が日中戦争で追いつめてくれたので、そのおかげで中国は、1949年に独立できたのだと分かっている。

だから毛沢東は世界政治の政治力学を知っているので、日本に対してそれほどの憎しみは持ってはいなかった。むしろ、毛沢東は日本に感謝していた。実際、毛沢東は1964年、北京を訪れた社会党の佐々木更三委員長に対し、「皇軍（日本軍）がいなければ、我々が権力を奪うことはできなかった」と感謝の言葉を述べている。

世界規模の政治では、中国は英米の連合国側（アライド・パウアーズ）に属していた。ドイツ、日本、イタリアの枢軸国（The《ジ》 Axis《アクシス》。ファシスト同盟）を打倒した側にいることになっている。

体系的略奪を行った大英帝国に対する中国の怒り

歴史的に大英帝国がやったことは systematic pillaging「システマティック・ピレッジング」である。これを「体系的略奪」と訳す。イギリスは、世界中を体系的《システマティック》に略奪《ピレッジ》したのである。

る。中国はこのことに怒っている

ないのはわずか22カ国

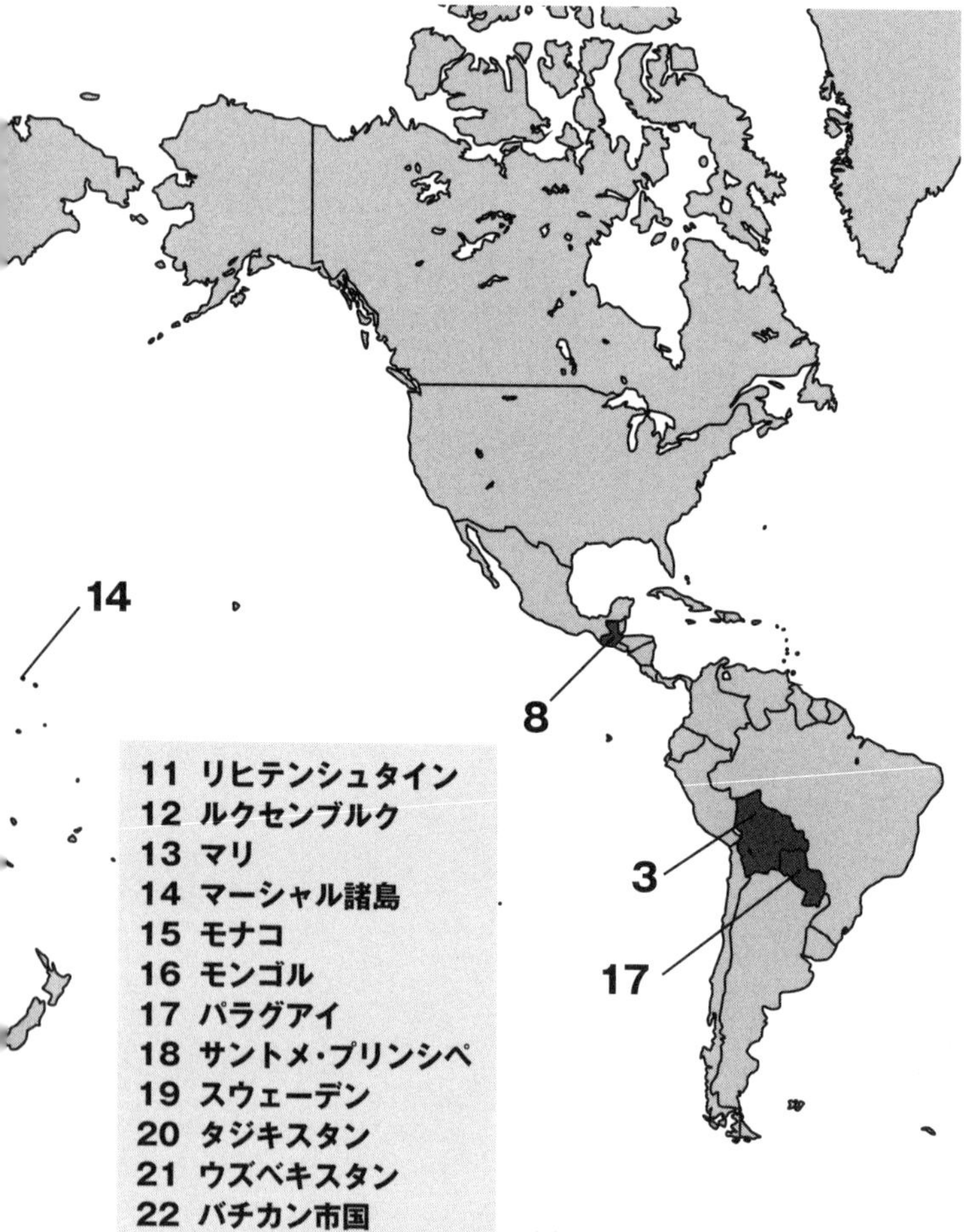

11 リヒテンシュタイン
12 ルクセンブルク
13 マリ
14 マーシャル諸島
15 モナコ
16 モンゴル
17 パラグアイ
18 サントメ・プリンシペ
19 スウェーデン
20 タジキスタン
21 ウズベキスタン
22 バチカン市国

出典："All the Countries We've Ever Invaded"

イギリスが世界最大の侵略国であ
世界中でイギリスに一度も侵略されたことが

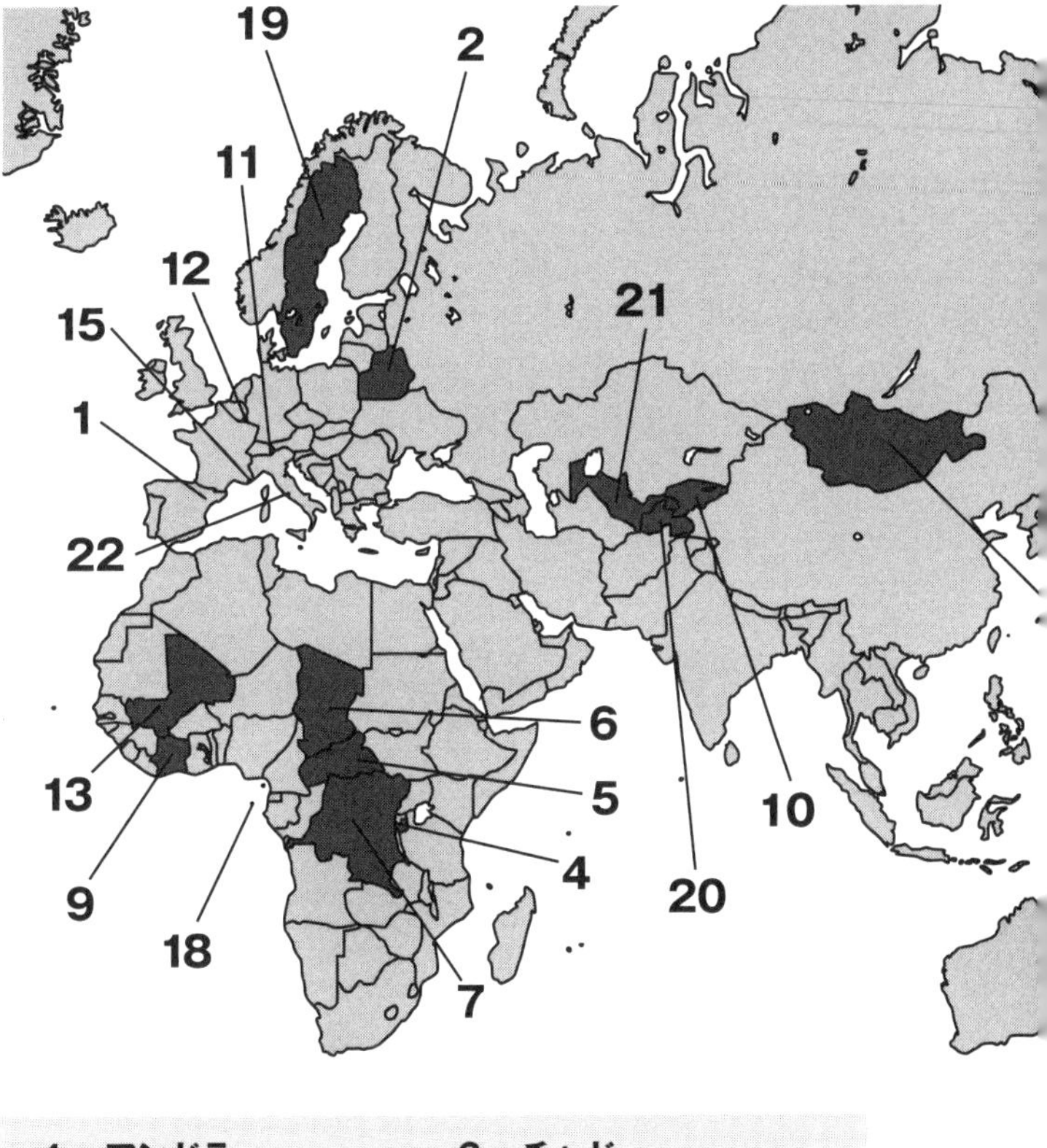

1	アンドラ	6	チャド
2	ベラルーシ	7	コンゴ民主共和国
3	ボリビア	8	グアテマラ
4	ブルンジ	9	コートジボワール
5	中央アフリカ共和国	10	キルギス

イギリスがどんなに悪賢く、世界中に謀略を仕掛けたかを、はっきりと分かることが重要だ。１８１５年、ナポレオンをワーテルローの戦いで最終的に打倒して、大英帝国（コモンウェルス・オブ・ザ・ネイションズ）は世界覇権を握った。それ以来、イギリス帝国がこの２００年でやったことは、植民地《コロニ》（支配《アリ》）主義《ズム》（１８９０年代まで）、それから帝国主義《インペリアリズム》（１９００年代）である。

中国にとっての最大の侵略者はイギリスである。他のヨーロピアン・パウアーズ（欧州列強《れっきょう》）は、そのあとからやってきた。先述したアヘン戦争《オピアム・ウォー》の時に、イギリスは、文字通り砲艦《ほうかん》外交（ガンボート・ディプロマシー）で中国を脅し上げぶち破り、清朝《しんちょう》（大清《シン》帝国）を屈服させ、賠償金を取り、中国の割譲《かつじょう》を始めた。

その時以来の中国の苦難の歴史が１５０年間続いた。ずっと戦乱で民衆がたくさん死んだ。中国は絶望的にキタナイ貧乏国に落ちた。中国がようやく立ち直って豊かになったのは、今から30年前の鄧小平《デンシャオピン》が、深圳、広東を回って行った「南巡《なんじゅん》講話」（１９９２年）のときからだ。

鄧小平は「さらに改革開放を推し進めよ」と大号令《だいごうれい》した。この時から30年が経った。今、中国はアメリカ帝国に取って代わって、次の世界帝国（ワールド・エムパイア）になる直前に来ている。

イギリス（大英帝国）による体系的略奪（システマティック・ピレッジング）とは何か。まず pillage ピレッジの説明が必要だ。ピレッジとは、戦争で勝った国の兵士が敗戦国の女たちを強姦して回り、あるいは金品を強奪して戦利品、分捕り品とすることである。これがピレッジである。しかもこれは合法なのである。

戦場の理論では、軍隊の統制と命令以外のところで行われるこれらの略奪は、あくまで合法である。戦利品《ピレッジ》をそのまま持って、軍隊は移動するわけにはいかない。だから、すぐにこれをユダヤ商人に売る。これを故買《こばい》という。

そして、そのカネで麻薬を買ったり、バクチをする。あるいは、武器や武具も自分で買う。昔の兵隊（日本の足軽）は傭兵（マーシナリー）であり、職業軍人である。だから、自分で武器弾薬を調達した。

戦場のユダヤ商人たちは、このほかに売春業をやった。女たちを引き連れて、軍隊のあとからゾロゾロとついていった。だから、Camp followers（キャンプ・フォロワーズ）と言う。軍隊が野営する陣営（キャンプ）で小屋掛けして、兵士相手の売春業を営んだ。

今の日本人は、故買という言葉の意味が分からなくなっている。盗品だと知って売買することが故買である。だから、盗品であると全く知らないで、かつ知るに足る理由もない場合には、故買罪は成立しない。つまり、悪いとわかっていてやったら犯罪になる。あいは、客観的にそのように見えれば犯罪である。それを違法性という。

このピレッジ pillage からピレッジング pillaging が生まれた。そして、その上に「体系的」がつく。こうやってイギリスは世界最強国として、船の力もあって世界中から全てを着々と奪い取ったのである。中国にしてみれば香港がその象徴なのだ。

次のことも重要な秘密である。

今でもイギリス人の知識人で、アヘン戦争の真実の話を書く者たちは殺されるそうだ。有名な作家のジェフリー・アーチャー（１９４０年〜、81歳）が、そのように発言した。いまだに、歴史の大きな真実は表に出ていないのである。

第5章

ディープ・ステイトと中国の終わりなき闘い

中国VS.ディープ・ステイトの闘いが始まった

中国が闘っている敵は、「ディープ・ステイト」である。ただ単に、アメリカやヨーロッパの主要国ではない。それらを背後から操《あやつ》っている者たちの結集体である。彼らは簡単には正体を露《あら》わにすることはない。

ディープ・ステイトとは「世界を陰から支配している、表に決して出てこないヨーロッパやアメリカの王侯貴族と大富豪たち」のことである。だが、その頂点に立っているのは、ローマ・カトリック教会のローマ法王《ポープ》とイギリス国教会《こっきょうかい》（アングリカン・チャーチ。聖《せい》公会《こうかい》）の主宰者であるイギリス国王である。この2人がディープ・ステイトの一番上にいる者たちである。

アメリカ合衆国の場合は、王《キング》と貴族《ピアーズ》がいないので、マサチューセッツ州やペンシルベニア州の奥にいる大財閥たちである。彼らは横に連携して、権力者の集団を作っている。つまり、従来言われてきた軍産《ぐんさん》複合体（ミリタリー・インダストリアル・コンプレックス）と、大銀行と、メディアと、リーガルギルド（法曹《ほうそう》）である。

超エリートの大学生たちは、大学内の特殊な学寮（フラタニティ。女性の場合はソロプチミスト）に入会して、秘密の儀式に加わる。彼らは一生涯、この秘密結社（ザ・ソサエティ）の掟を裏切ることはできない。裏切ったら死が待っている。

この秘密結社は、従来はフリーメイソンやイルミナティと呼ばれていた。だが、フリーメイソンもイルミナティも1700年代の創立時は、優れた商工業者や芸術家たちの反カトリックの都市市民《シトワイヨン》たちであった。

天才音楽家のモーツァルトのような人々の集まりであった。それを王侯貴族たちと僧侶《モンク》たちが乗っ取って、悪の集団に作り替えた。彼ら、ディープ・ステイトは、悪魔の存在を信じて、この世（人間世界）は、もともと悪（evil《イーヴォ》）が支配していると考えている。だから、彼らは悪魔教の信者たちだ。

中国は、この欧米白人のディープ・ステイトと闘っているのである。ディープ・ステイトは、もはやロスチャイルド家やロックフェラー家などのような、商業財閥のレベルではなくて、その上に存在する王侯貴族たちである。2021年の1月にトランプ大統領を打ち倒したのが、ディープ・ステイトである。

中国はこれと〝横綱相撲〟を取る。中国はがっぷり四つで相手をぐっと押さえて、静かにじりじりと押して土俵を割らせる。決して、大技をかけて投げ飛ばしたりはしない。そんなことをしたら、自分がケガをするからだ。静かに押して勝つのが、横綱相撲である。

2024年の米大統領選を勝ち抜くトランプ

このディープ・ステイト the Deep State という言葉を、アメリカでは共和党支持派《リパブリカン》、とりわけ前のトランプ大統領を、今も強固に支持している人々が使い始めた。トランプは、アメリカ民衆《ピープル》の真の代表であるポピュリスト populist である。このトランプ勢力を嫌って、大きな不正《ふせい》選挙（Voter《ヴォーター》 fraud《フロード》）を実行してトランプを大統領から追い落としたのがディープ・ステイトである。今は民主党支持《デモクラット》が、ディープ・ステイトの家来（従僕）となっている。

日本では、日本のテレビ、新聞、主要雑誌もディープ・ステイトの手先になりきっている。だから、去年からのコロナウイルスの騒ぎとワクチン接種でも、米民主党やリベラル派の勢力ほど、これに従った。日本でも同じ感じになった。

日本の支配者層を代表する、表面に出ている自民党の政治家たちと官僚たちも、世界各国同様に、ディープ・ステイトに屈服している。それでも、本物の民族主義者と愛国者たちは、ディープ・ステイトに逆らって、民衆《ピープル》の側に立って闘う者たちである。

私、副島隆彦は、今や日本を代表するトランプ支持派の人間であり、ディープ・ステイトと戦うことで、日本民族のために命をささげる覚悟の人間だ。私は自分の態度の取り方をよく知っている。だから、ディープ・ステイトと闘っている今の中国の人民とその指導者たちを、強く支持している。

日本のディープ・ステイトの手先たちは、「もうトランプの時代は終わったでしょ」と考えている者が多い。だがそれは間違いだ。トランプ支持勢力は、今も共和党の大半を占めている。

トランプは来年の11月の中間選挙《ミッドターム・エレクション》で勝利し、さらに2年後の2024年の大統領選を勝ち抜き、大統領の座に返り咲くだろう。日本のメディアたちでさえ、渋々と憎々しげにトランプ勢力の強さを認めている。

記事を載せる。

「トランプ氏、再出馬へ着々　共和党内に敵なし、穏健派沈黙　米大統領選1年」

2020年米大統領選の雪辱を誓う共和党。

退任後も圧倒的な党内人気を誇るトランプ前大統領のほかに、新たな「顔」は現れないままだ。敗北を受け入れないトランプ氏に国民は批判的だが、（共和党内の）穏健派は報復を恐れ、口をつぐむ。（トランプの）過激な主張に身を委ね続ければ、党勢の先細りは免れない。

「大統領選は不正だった」。10月9日、中西部アイオワ州デモインの集会で、トランプ氏は熱狂する観客を前に1時間半超の長広舌《ちょうこうぜつ》を振るった。大統領選候補者指名争い初戦の党員集会が開かれる同州での演説だけに、再選に向けたトランプ氏の野望が透けて見える。

6月から政治活動を本格化させたトランプ氏は、独自のインターネット交流サイト（SNS）を創設し、発信力強化にも余念がない。自身の支持者らによる1月の連邦議会襲撃を「平和的だった」と吹聴する。

荒唐無稽な主張にも、党内議員の多くは異を唱えずにいる。一つには、トランプ氏が「反トランプ派」の選挙区に次々と自身に忠実な「刺客《しかく》」を送り込んでいるからだ。トランプ氏の弾劾《インピーチメント》に賛成票を投じた下院議員10人のうち、これまでに2人が再選不出馬を表明。トランプ氏は「あと8人だ！」とほくそ笑んだ。

キニピアック大学の10月調査では、トランプ氏の再出馬を58％が「望まない」と回答した。一方、共和党支持者で見ると78％が「望む」と答えた。5月の同じ調査では66％だったことから、トランプ氏待望論の高まりがうかがえる。

こうした中、有力候補に名前が挙がる南部フロリダ州のデサンティス知事やペンス前副大統領、ポンペオ前国務長官、ヘイリー元国連大使らはいずれも様子見に徹している。指名争いになれば他の候補を「たたきのめす」と宣言したトランプ氏。実際の出馬判断は来年秋の中間選挙後との見方が多いが、２０２４年大統領選への立候補は現実味を帯びる。

トランプ氏を批判し、再選出馬断念を迫られたキンジンガー下院議員は訴える。「多くの有権者が政治的なよりどころを失っている」。穏健派が声を失った共和党の漂流は続く。

（2021年11月3日　時事通信　※傍点引用者）

この時事通信の記事はすばらしい。反トランプ派でディープ・ステイトの手先たちの考えをよく表している。

CIAも認めたコロナ武漢発生説の真相

アメリカの、今にも死にそうなジョー・バイデン大統領のフラフラしたおかしな言動の背後に、真の支配者であるディープ・ステイトがいる。

はっきりと私は断言する。今の日本を苦しめている新型コロナウイルスも、ワクチンも、すべてこのディープ・ステイトが計画的に実施していることである。彼らは、2年前（2019年10月）に、まず中国を攻撃するために、コロナウイルスを武漢《ウーハン》に持ち込んでばらまいた。

しかし、中国は負けなかった。武漢市1100万人をロックダウン（都市封鎖）し、クアランティーン（quarantine　検疫《けんえき》）した。そして中国全土で、このアメリカからの生物化学兵器（バイオ・ケミカル・ウエポン）を撃退した。このことを本書の「はじめに」の(7)で書いた。

私の考えでは、そのうちのほんの少しが、日本にも持ち込まれた。それが、2020年2月3日に無理やり横浜港に停泊したクルーズ船「ダイヤモンドプリンセス号」である。このなかに乗っていた香港人が、感染者であり、決死隊の突撃隊員だった。この「クルーズ船の死者13人・感染者712人を含まず」と、厚生労働省の数字の発表では今もしつこく繰り返している。

日本政府は合計1万8000人の死者と発表している。だが、日本ではコロナウイルスでの死者は、真実はほとんどいない。

コロナウイルスが怖いのではない。それを口実に作られたワクチンのほうが恐ろしいのだ。ウイルス騒ぎの前から計画的にワクチンを作って販売した（日本だけで2億5000万本）。巨大製薬会社（big pharma、ビッグ・ファーマという）が大《だい》悪人で、ディープ・ステイトの悪魔たちそのものなのだ。ファイザー社やモデルナ社、アストラゼネカ社のワクチンである。

「コロナウイルスがどんどん変異《ヴァリアント》して変異型（デルタ型）になっていく」とか、「第6波が押し寄せる」という扇動によって、ワクチンを打たせること自体が、コロナウイルスの発症者を、日本でも作り出す。ディープ・ステイトというのは、本当に悪い奴らだ。

2年前の2019年10月18日に、武漢で「世界軍人オリンピック」が開かれた。このときに、アメリカで培養されたコロナウイルスが持ち込まれて散布された。そして11月から武漢でコロナウイルスの発病者が広がった。

もうこれ以上は書かない。私がすでに出した『日本は戦争に連れてゆかれる　狂人日記2020』（祥伝社新書、2020年刊）に詳しく書いた。

中国は、〝アメリカによる生物兵器攻撃〟を立派に防御して撃退した。私がこのように書くと、嫌がって顔を背ける人たちがいることはわかる。だが、もうそろそろ素直に私の考えに耳を傾けなさい。

中国嫌いの人の多くは、「武漢ウイルス（病毒《びょうどく》）研究所」からコロナウイルスが不注意で漏れ出し、そしてそれが各国に広がって、それで世界中に迷惑をかけたと、力みかえって主張する。しかし後述する通り、武漢ウイルス研究所から漏れたのではない。2021年8月26日に発表されたCIAの報告書で、そのことははっきりした。その証拠の新聞記事を掲載する。

「コロナ起源調査は結論出ず　流出か動物媒介、見解割れる」

新型コロナウイルスの起源について、米情報機関は、8月27日、バイデン大統領から求められていた90日間の調査結果の要約を公表した。18の情報機関による調査だが、中国の武漢ウイルス研究所から流出した説と、動物を介して人に感染した説とで見解が割れ、明確な結論は出なかった。

バイデン大統領は24日、情報機関から機密内容を含む報告書を受け取った。報告書は、米中央情報局（ＣＩＡ）や国防情報局（ＤＩＡ《ディーアイエイ》）など18の情報機関で構成する「情報コミュニティー」名で発表された。

機密内容の精査後に公開された要約版によると、アメリカの情報コミュニティーは、新型コロナが生物兵器として開発されたものではないと判断した。

ただ、起源については各情報機関の見解が一致しなかった。5つの情報機関は動物媒介説の可能性があるとみているが、別の一つは研究所から流出した可能性を重視したという。追加の情報が必要だとして、結論に至らなかった機関もあった。

情報コミュニティーは報告書で「結論に至るには中国の協力が不可欠だ。中国は国際的な調査を阻み、情報共有に抵抗し、米国を含む他国を非難している」とし、真相が解明できない理由が中国側にあると指摘した。

バイデン氏は8月27日、「中国は透明性を求める声を拒否し続けている。情報やデータを共有するよう、中国に働きかけ続ける」などとする声明を出した。

これに対し、在米中国大使館は、28日に声明を出し、断固反対と強い非難を発表。「米情報機関が作成した報告書は科学性も信頼性もないものだ。『中国は不透明』という主張は汚名を着せるための口実であり、中国の情報は完全に公開されている。第2段階の起源調査は多くの国と地域で展開されるべきだ」と主張した。

（2021年8月28日　朝日新聞）

コロナはアメリカが作った対中生物化学兵器だ

コロナ騒ぎにとって代わるかのように、急に台湾情勢が厳しくなったと言い立てる人々が出てきた。

私はほとんどテレビを観ないからよくは知らないが、朝やお昼のワイドショーで主婦層を煽るように、台湾危機を盛んにテレビで放送した。朝日新聞系のテレビ朝日のワイドショーでさえ、ほとんどネトウヨ番組化して「今にも中国が台湾に攻めてくる」といったテーマの映像を、9、10月にどんどん放送した。

台湾は不思議な動きをする。どうもコロナウイルス騒ぎのときも、台湾からのおかしなニセ情報が世界に出回った。台湾が2019年12月31日、「中国の武漢で原因不明の肺炎が発生し、人から人への感染を警告した」とWHOに報告した。だが、「実際にそんなことはなかった」とWHO自身に否定された。武漢で発生したコロナウイルスは、中国が計画的に始めた世界へのウイルスのばらまきであると、台湾はウソの扇動をしたのである。

それに乗せられて、まだ大統領だったトランプとポンペオ国務長官が大恥をかいた。2020年5月2日、台湾現地ではクオリティ・ペーパー（一流紙）といわれる『自由時報』という保守系の新聞の記事で、武漢ウイルス研究所の石正麗《せきせいれい》研究員（通称コウモリ女）が、4月に1000ページの秘密書類を持ってフランスに亡命し、アメリカに保護を求めたと報じた。

この記事には、1000ページの極秘書類が持ち出され、中国政府が計画的に武漢でコロナウイルスをまいたという証拠があると書いてあった。

しかも、この石正麗の国外脱出を助けたのは武漢公安副部長の孫力軍《そんりきぐん》だと、名前まで明らかにされていた。それで、トランプとポンペオが、4月30日に「私は中国政府がコロナウイルスを研究所から漏らしたという秘密文書を自分の目で見た」と語った。だから中国が元凶であり、中国に責任があると発言したのだ。

ところが、そのすぐあとの5月5日にこれらはすべて虚偽、ねつ造であることが発覚した。まんまと騙されたトランプとポンペオは、恥をかいて以後黙ってしまった。

それでもトランプは「チャイナウイルス（China Virus）」や、中国の武術カンフー（kung fu）とインフルーエンザ（flu）を組み合わせた「カンフルー（Kung Flu）」という言葉を使い続けた。反共勢力が、トランプを自分たちの側に引き込もうとしたのだ。

日本でもKとAというオンナ評論家が、台湾系アメリカ人の細菌学者から聞いた情報として、コロナは中国がばらまいた細菌兵器だと書いた。しかし、これも全部虚偽《フォールス》であることがはっきりした。そして石正麗が中国のテレビに出てきて、「私は外国に亡命していない」と発言した。

コロナウイルス(covid-19)は対《たい》中国の生物兵器として作られた

2012年からダスザック博士と石正麗は共同研究を開始し、2017年に武漢ウイルス研究所で、「コウモリ起源のSARS-CoV」を作った。そしてACE-2受容体と結合した。ここに新たな生物化学兵器が誕生した。

バイオケミカルウォーに打ち勝った中国

中国は年明けの2020年1月23日、1100万人が住む武漢市を完全に封鎖し、ロックダウンを行って、このあと半年でコロナウイルスのまん延を阻止した。今も正確な人数はわからないが、4500人くらいが死んだ。この死者の数は正確だろう。中国はウソをつかない。

このとき、すでに中国のコロナウイルスとの戦争は終わった。中国は、すぐに中国独自のワクチンを作った。これを、タダでアジアやアフリカ諸国に配り、当初はその効果に文句が出たと言われた。だがその後、何ら話が出てこない。

私の考えでは、アメリカのファイザー社やモデルナ社、イギリスのアストラゼネカ社のコロナワクチンよりも、中国製のほうが効き目があって、問題もなかったのだろう。私があまりに中国贔屓《びいき》で、贔屓の引き倒しをすると嫌われる気もする。しかし、私は自分の言論は常に公平で冷静でありたい。とにかく、何が何でも中国を毛嫌いして悪口を言う人たちと私は、まったく考えが違う人間である。

反共右翼たちと共に「コロナウイルスは中国がばら撒いた」と言って回った杜《と》祖《そ》健《けん》（アンソニー・トゥー、91歳）。台湾系アメリカ人

コロラド州立大学元教授で毒物研究の権威とされる。1953年に台湾大学理学部を卒業後、アメリカへ留学。加計学園が経営する千葉科学大学でも教授を務めた。悪いやつだ。

日本国内のモデルナやファイザー製のワクチンが引き起こしている、さまざまな悲劇を私たちは知ることになった。接種のあと、高熱を出して具合が悪くなった人が何百万人も出た。厚労省の発表では、ワクチン接種後の死者は１３００人超である（10月22日現在）。だが実際は、これの20倍くらいの人がワクチンのせいで死んでいる。人々は、ザワザワと噂話をしている。

しかし、自ら進んで接種をした者たちは、なかなか自分の態度と判断の間違いを認めない。人間は意地を張る生き物であるから、己の非を簡単なことでは認めない。自分自身の頭の中で悩んで苦しんでいるくせに、この私に向かって「まだ、先生はワクチンを打たないの？」と言い続ける主婦がいる。自分は2回目の接種で高熱で苦しんだくせに。

私が「○○さんは3回目も打つの？」と聞いたら、大声で「打ちませーん！」と言った。今ワクチン問題で苦しんでいるのは、私たち反ワクチン派（反ワク）ではなく、打ってしまった人々である。どうも人間の本能で「自分は殺される」と感じているようである。

ディープ・ステイトというのは、人類に危害を加えることを厭《いと》わない魔物のような連中である。ヨーロッパの国王や大貴族たちと、それからアメリカの隠れた大富豪たちの集まりであるディープ・ステイトは、本当にひどい奴らだとしか言いようがない。

彼らがワクチンを計画的に作らせて、大製薬会社をぼろ儲けさせた。日本政府が、これら欧米の大製薬会社（ビッグ・ファーマ）に払ったワクチン代金の総額は、6兆円になるそうである。

しかも前述したように、このコロナワクチン（mRNA遺伝子組み換えワクチンという）を接種した人たちが、新たな感染源となってウイルスを広める事態になっている。恐るべきことである。

ワクチン接種を強く推奨して、周りに打つよう急《せ》き立ててきた人たち、そしてそれで儲かった医者たち、およびメディア（報道機関）が、どうも恥ずかしそうな感じで言葉を濁すようになってきた。なぜなら、2回ワクチンを接種した人たちから、ウイルス感染者がどんどん出てくるようになったからだ。いわゆる「ブレークスルー感染」である。一体これはどういうことであろうか。

製薬会社の言い訳は、接種後に熱が出る人がいるのは自然なことだというものだ。ワクチンを打った後に高熱を出すのが、自然なことであろうか。

ワクチンを打った人の体のなかで、人間の体自体が持っている抵抗力である免疫（イミュニュイティ　immunity）、あるいはキラーT細胞、さらには白血球などが自分の体をしっかり守ろうとして、自分の体に入ってきたコロナウイルスの遺伝子であるmＲＮＡ（メッセンジャーＲＮＡ）を含んでいるスパイクタンパクと闘うから高熱が出るのである。

私は医師ではないし、ウイルス学や感染症学の専門家でもないので、偉そうなことを言ってはいけない。だが、どう考えても自然な理屈を通すと（リーズニング。理論づけという）、やはり、ワクチン接種が私たちの目の前で引き起こしている心配な事象を、日本全体の国民的課題として公然と論ずるべきである。

しつこく繰り返すが、「ワクチンを打ったら38・5℃の熱が出ました」という人が周りにもたくさんいる。これが本当に正常なことであろうか。私たちはもっと用心深く、注意深くならなければならない。

しかも、このワクチンの効力は6カ月（あるいは3カ月）しかもたないということで、さらに3回目、4回目となる「ブースター接種」をしなければいけない、とマスメディアや医学界が扇動する。狂気の沙汰である。

こういう「大量人殺し」に等しいことを集団洗脳によって、実行させるディープ・ステ

タケダ製薬は、英グラクソ・スミスクラインに奪い盗られた。そして、モデルナ社のコロナワクチンを製造する下請けとなった

2014年に武田薬品工業の社長となったクリストフ・ウェバー（55歳）。イギリスの製薬会社グラクソ・スミスクラインの元CEOだ。恐ろしい男だ。資生堂も魚谷雅彦《うおたにまさひこ》が社長になって、ディープ・ステイトに乗っ取られた。サントリーも新浪剛史《にいなみたけし》に、創業家の佐治家が騙された。

イトというのは、本当に恐ろしい連中だ。それと対決する習近平が率いる中国政府は、どう考えても中国国民をよく守っている。中国共産党の支配と統制が、独裁的であればあるだけ、妙な話だが、中国国民は守られていると言わざるを得ない。

さらに私は踏み込んで言うが、2020年1月から始まったコロナウイルス問題は、アメリカとヨーロッパのディープ・ステイト勢力が、まず中国に仕掛けた生物化学戦争（バイオ・ケミカル・ウォーフェア）である。バイオロジカル・ケミカル・ウエポンという細菌化学兵器を使った大きな戦争（ラージ・ウォー）の始まりである。私は2020年の初めからこのことに気づいて書いた。

このように、大胆に言い切ることも大事だ。これまでの世界戦争は、核戦争（ニュークレア・ウォーフェア）が中心であった。その次が、この生物化学戦争である。これがついに始まったのである。

そして3つ目がサイバー戦争（サイバースペイス・ウォーフェア）である。これは、宇宙空間（ここを核兵器のICBMが飛ぶ）よりも、一歩さらに上から見て、サイバー・スペイス（電子空間）で、最新の通信機械に対して通信妨害用の破壊攻撃を行う戦争のこと

中国は2022年、宇宙ステーション「天宮《ティエンゴン》」を完成させる。ISSは終わり。みっともない

2021年10月16日、「天宮」建設のため「神舟13号」が打ち上げられた。3人の宇宙飛行士のうち、女性で初めて宇宙ステーション勤務となる王亜平《ワンアピン》（41歳）は、現役の人民解放軍空軍の大佐である。

である。だから、人類はついに2つ目の大きな戦争である生物化学戦争に、コロナウイルスとワクチンで突入したのである。

ここで念のため書くが、ウイルスは細菌（ジャーム。バクテリア）ではなくて、「生物と非生物のあいだ」と呼ばれるタンパク質の塊《かたまり》にすぎないから、細菌ではない。だから、細菌兵器と呼ぶべきではないという反論がすぐ起きる。しかし私は、ウイルスは生物（細菌）の一種であると考えていいと思う。

ウイルス（ヴァイラス　virus）は、自分だけで存在できない他の生物に寄生《パラサイト》する物質なので、生命体《ライフ》ではないと言われる。だが、私はこの考えはおかしいと思う。人間という生物だって、他者に寄生して生きているではないか。だから、ウイルスを使った生物化学戦争が、現に今、世界中で行われている。

そして中国は、この攻撃を見事に撃退した。ディープ・ステイトからの攻撃を見事に迎《げい》撃《げき》した。このように「迎撃」とまで、『環球時報《かんきゅうじほう》』という中国の言論紙は書いた。今や私のこの考えは、そんなに強い反感はもたれないだろう。

私は毎年1冊、ずっと自分の中国研究本を出版してきた。そして、もう14年が経つ。佐藤優氏だけが「副島さんの中国研究は正しかったですね」とほめてくれた。見ている人たちから見たら、私がコツコツとやってきた仕事は評価されているのである。

アフガニスタンで起きたアメリカの大失敗

前のほうでも書いたが、アフガニスタンに駐留していたアメリカ軍が、2021年8月末で完全に撤退してしまった。首都カブールを中心に大混乱が起きた。

アメリカ軍はちょうど、この20年間アフガニスタンにいた。それは2001年9月11日に、ニューヨークの世界貿易センタービル2棟に、アラブ人テロリストたち（アルカイーダとされる）に乗っ取られた2機の旅客機が突っ込み、ビルは大炎上して倒壊した（9・11テロ事件）。

しかし、これはウソ八百の捏造大《だい》事件である。初めからディープ・ステイトが計画して実行したのだ。アラブ人テロリストたちとされた者たちは、サウジなどで生きている。このことを証明したベンジャミン・フルフォード氏の業績『9・11テロ捏造　日本と世界を騙し続ける独裁国家アメリカ』（徳間書店、2006年刊）が、これからも称賛されなければならない。

アメリカで起きたこの同時多発テロ事件から2カ月後の11月には、早くも米軍はアフガニスタンのカブールに侵攻した。ちょうど20年前である。そして、その2年後の2003年3月20日に、米軍がイラクの首都バクダッドを爆撃した。そして、16万人の米軍の兵力で、イラクに侵攻し、駐留した。これは「イラク戦争」と呼ばれる。英語では War《ウォー》 in《イン》 Iraq《イラク》と言う。実際にはアメリカによるイラクへの侵略戦争である。

あの戦争は、国際的には国家間の戦争と認められていないのだ。つまり、テロリストとの戦いなので、相手国との停戦協定《シース・ファイア》や和平交渉《ピース・トークス》はなかった。サダム・フセイン政権を認めなかったからだ。

あのときのアフガニスタンとイラクへの米軍の軍事攻撃（侵攻）は、当時アメリカで勢いがあった「ネオコン」と呼ばれる、ユダヤ系の高学歴の政治学者たちが計画して実行したものだ。2001年にジョージ・ブッシュ（子）政権が発足したばかりで、何か大きなことをやらないとアメリカの経済失速を回避できない。そこで、まさしく大きな事件《イヴェント》である同時多発テロ事件を起こしたのである。

今のコロナウイルス、ワクチン騒ぎの世界規模の大きなイヴェント（催し物）も同じである。ディープ・ステイトはイヴェント屋なのだ。次から次に大事件を企画して実行する。

本当にバカな奴らだ。

これを、政治学の用語で「ウォー・エコノミー War Economy」と言う。戦争によって経済を刺激（ブースト）して、上に押し上げることである。ウォー・ブースト・エコノミーと言ったほうがわかりやすいだろう。

このウォー・エコノミーという大掛かりなでっち上げで、世界を震え上がらせて混乱に陥れる。こんなことをやりながら、アメリカ帝国は戦後の76年間を生き延び、繁栄を続けてきたのである。大きなイヴェントを次々とやることで、帝国（超大国）は生き延びるという図式である。

だから今度のコロナウイルスとワクチン騒ぎも、その規模の大きさから言って、20年前の「9・11」の大騒ぎよりも世界への影響力が大きい。なぜなら、私たち自身をウイルスで殺しに来たからである。他人事《ひとごと》では済まない。物事を冷静に考える人たちは理解できることだ。

侵略から20年経って、アメリカはアフガニスタンから撤退した。カブールの陥落があまりに早かったものだから、アメリカはアワアワ大慌てして世界中が驚いた。

それより早く、2年前の2019年11月29日のサンクスギビングデー（感謝祭）に、トランプ大統領が突然カブールに行って米軍基地の兵士たちに七面鳥《ターキー》を振る舞った。だが、これは表面の話で、本当はこのあとトランプは、タリバーンの最高指導者がいるところへ会いに行ったのである。それがP223に載せた写真の人物であるバラダル師である。

そしてトランプは言った。「米軍を撤退させるので了解してほしい」と。そして両者は終戦で合意した。当然アメリカの国務省がトランプ大統領の意向を受けて、事前に周到に準備していたのである。

このあと2020年1月から、バイデン政権になったのだが、これが非常にまずいやり方でことを進めた。民間人を大量に置き去りにして、米軍は予定通りアフガニスタンから撤退した。

タリバーンというイスラム原理主義者《ファンダメンタリスト》の民族主義者の戦闘集団は、トランプがわざわざ危険を顧みずここまで出向いてくれたことで信用して停戦に応じ、徐々に米軍が撤退していくのを認めるという合意をしていた。

関連する記事を載せる。

「『米国史上最大の恥だ』　トランプ氏、バイデン氏を批判」

トランプ前米大統領は8月17日、アフガニスタンからの米軍撤退について「出て行くのは良いことだが、バイデンほどひどい撤退の仕方をした者はいない。米国史上最大の恥だ」とバイデン大統領の対応を批判した。

ＦＯＸニュースの番組に出演したトランプ氏は、米軍撤退について「我々は条件付きの合意で5月1日までに撤退しようとした。米軍を残すべきだと言う人たちがいたが、あの国を守るために年間４２０億ドル（約４兆６０００億円）を費やし、何も（成果を）得ていない」と述べ、撤退を決めた当時の判断は正しかったと主張した。また、「私はタリバンの指導者と何度も話した。私は最初に、『米国民に万が一のことがあったり、米国内に（あなたたちが）足を踏み入れようとしたりしたら、どの国も受けたことがないほどの打撃を与える』と伝えた。その後の会話はよい内容だった」と明らかにした。トランプ氏が話し合った相手は、タリバン政治部門トップのバラダル幹部だったという。

また、トランプ氏は駐留米軍について改めて持論を展開。「我々は韓国を守っているのに彼らは何も支払ってこなかった。だが、私は何十億ドルも（彼らに）払わせた」とも発言。さらに「私は韓国の人々が好きだが、『なぜ（アメリカは）何も得ないのに我々はこんな事をしているのだ』と言った。日本についても同じだ。我々は（これまでずっと）世界を守ってきたが、もうそんなことはできない。中国やロシアは自国だけを守るために戦っている」と述べた。

（2021年8月18日　朝日新聞）

アメリカ撤退に先立ちタリバーンと関係を築いていた中国

中国政府は、なんと米軍の撤退に半月以上先立つ7月28日に、タリバーンの共同創設者のひとりであるナンバー2のバラダル師を招き、天津で王毅《おうき》外相（外交部長）が会談していた。次ページの写真のとおりである。記事を載せる。

「「信頼できる友人」　タリバーン幹部が訪中、王氏と会談」

中国はタリバーンに、アルカイーダとIS《アイエス》の取り締まりを要求した

2021年7月28日、天津で会談した王毅外相とタリバーン幹部のバラダル師。その後、タリバーンは中国が主導する「一帯一路」への参加希望を表明した。中国側も賛意を示した。ただし「平和と安定の実現を求む」と条件を付けることも忘れていない。

中国外務省は、7月28日、アフガニスタンの反政府勢力タリバーンの代表団が同日、天津を訪れ、王毅《おうき》国務委員兼《けん》外相と会談したと発表した。王氏は、米軍や北大西洋条約機構（NATO）軍の撤退について「対アフガン政策の失敗を示すものだ」とし、アフガン人自身による平和プロセスへの支援を表明した。

タリバーン側は対外交渉責任者のバラダル幹部らが出席。王氏は会談で、「アフガニスタンの内政に干渉せず、友好政策を実行していく」と説明。タリバーンとの関係が指摘されるウイグル族独立派組織「東トルキスタン・イスラム運動（ETIM《イーティーアイエム》）」については、「中国の国家安全に脅威となっている。ETIMをたたくのは国際社会の共同責任だ」と述べ、タリバーン側に協力を求めた。

バラダル幹部は「中国はアフガン人民が信頼できる友人だ」とし、国家再建や経済発展への貢献に期待を示したという。

（2021年7月29日　朝日新聞）

アメリカの動きに直《ちょく》対応して、中国は機敏に動いた。中国の国家情報部員（安全部《あんぜんぶ》という）が、綿密にアフガニスタン情勢を把握しているから、すでに米軍が戦闘をする気もなく、4月からどんどん撤退している事実を知っていた。それでも、これほど急速に米軍が姿を消し、カブールがあまりにも早く陥落したことに中国も驚いたようである。

中国政府としては、アフガニスタンの国境線から中国領土にアルカイーダ、あるいはI《アイ》S《エス》「イスラム国」の凶暴な過激派の残党が侵入してきて、中国国内で爆弾攻撃などのテロを仕掛けられることが一番イヤだ。それだけは絶対に阻止したいと考えている。だから、この点だけを一番重要な柱にして中国は、新しくできたアフガニスタンのタリバーンの政権と交渉をしたのだ。

ロシアのプーチン大統領もタリバーンの最高幹部のバラダル師と、モスクワで6月15日に会っている。ロシアと中国は早め早めの対応をとって、アフガニスタンの状況を理解していたのだ。アメリカは「逃げろや逃げろ」で知ったことではない。

このあと、アフガニスタンから中央アジア、そしてイラン、中東にかけての大きな鉄道網が、今後敷かれることになる。これは、中国の「一帯一路計画」の一環であり、いよいよこれから実現することになる。P226の地図の通りである。

アジアハイウェイの横に大きな高速鉄道が敷かれることで、いよいよユーラシア大陸の南の線がはっきりする。これくらいの大きなものの見方ができなければ、世界の政治や経

アジアハイウェイは日本からトルコまでアジア32カ国を横断する。さらに将来的には、それに並行して一帯一路の一環として、中国の高速鉄道が走ることになるだろう。

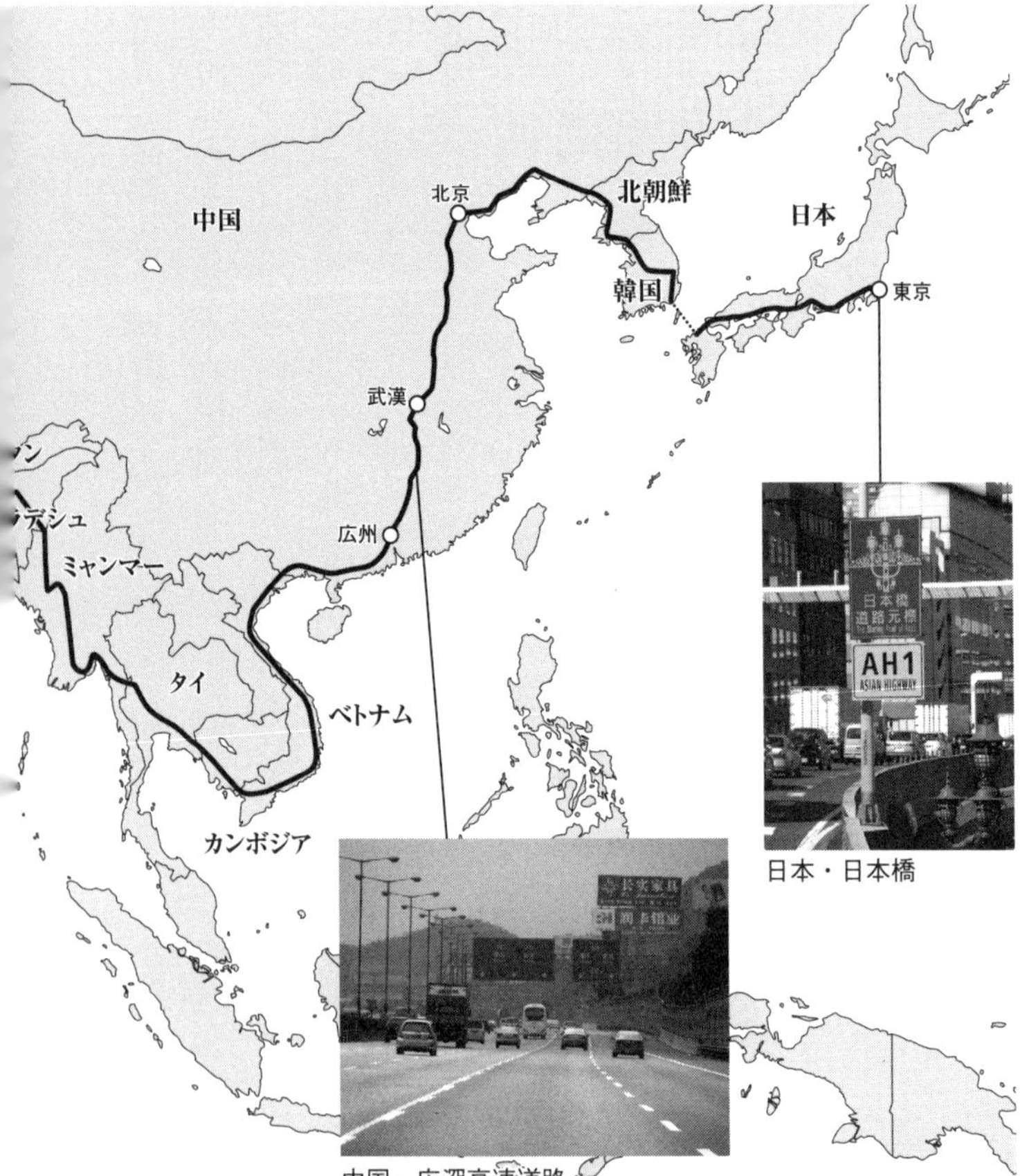

日本・日本橋

中国・広深高速道路

すでにユーラシアはアジアハイウェイで、がっちりとつながっている

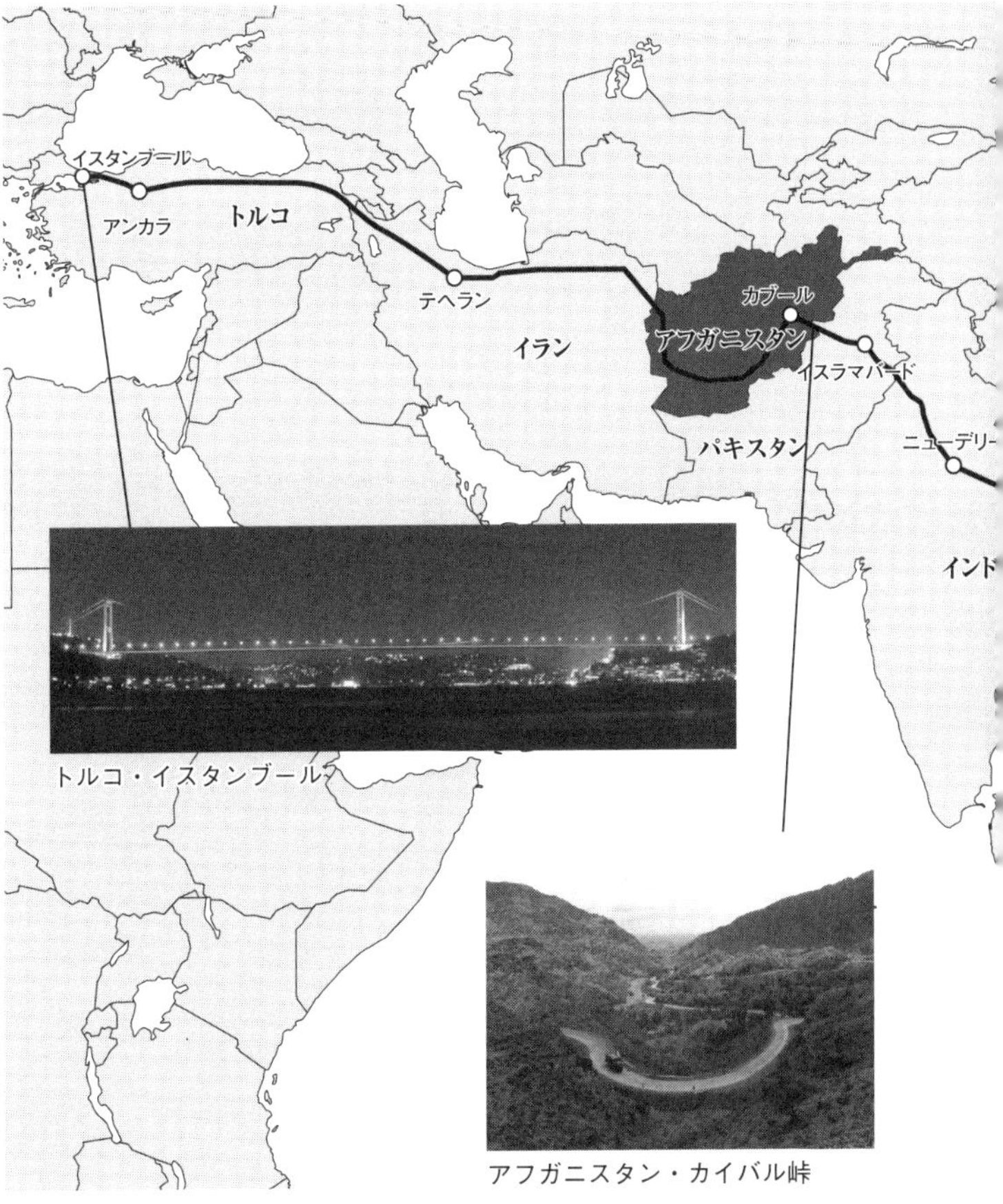

トルコ・イスタンブール

アフガニスタン・カイバル峠

済の動きを知ることはできない。

高速道路と高速鉄道でますます一体化するユーラシア

中国政府は、新疆ウイグルで100万人以上のウイグル人を収容所に入れて、ひどい虐待をしていると、言い続ける人たちがいる。だが、現場に行って本当に調べてきた日本人が果たしているのだろうか。

イギリスのBBC放送やアメリカのCIA情報だと思われる映像を根拠に、とにかく中国の悪口を言い、中国をけなし続ける。だが、そろそろ大きく中国を正面から冷静に見るという考え方を、私たちは身につけなければならないだろう。

前のほうで書いたように、私は12年前に、ウイグル族が住む大都市烏魯木斉《ウルムチ》の現地を少しだけだが見て回った。そのことは前の本に書いた。

ウイグル族がいる地域の、その南側にあるアフガニスタンの人々も、かなり賢くなったはずである。いつまでも、イスラム原理主義で生きていけるわけがない。私は、中央アジア一帯で今起きつつあることは、世界史の転換点になる動きの一部だと理解している。

最早、アフガニスタンが再びＩＳ「イスラム国」のような、本当はヒラリー・クリントンやディープ・ステイトが裏から操って育てた、過激なテロリストたちの出撃拠点になることはない。タリバーン政府は、世界に迷惑をかけるテロ活動を行うとは思わない。

彼らは、ロシアや中国政府とも真剣に話し込んで、アルカイーダやＩＳの残党がアフガニスタンから出撃して、周りの国々に迷惑をかけることを行わせないと約束したようだ。アメリカ政府ともだ。

だから私は、タイやミャンマーからずっとつながってインド、パキスタン、アフガニスタン、イラン、イラク、トルコまでつながる、大きな高速鉄道（新幹線のようなもの）の大開発が急速に行われると予言する。これらのアジアの大陸諸国には、昔からバス道路が走っていて、国境線を通過してどこまでもつながっている。Ｐ２２６に載せたアジアハイウェイの道路のすぐそばを、中国が資金と技術と労働力まで提供して、高速交通機関を建設するだろう。

どの国の政府も国民も喜ぶ。これで経済が繁栄するからである。それに対し、誰がこのことに憎しみを覚えるか。まさしくディープ・ステイトである。

大きく言えば、これは世界一周鉄道の一部だと言ってもいい。このアジア諸国を横断していく1本の太い高速鉄道ができて、安全に運行されるならば、アジア諸国のこれからの繁栄の大きな土台になる。

私たち日本人は、1964年に完成した新幹線（東京オリンピックに間に合うように作られた）が、その後の日本人の生活をどれほど便利にし、人間の移動をどれほど快適にしたか。新幹線と高速道路網が、日本の経済発展の重要な原動力になったことを体でわかっている。

大きなハイウェイと大陸鉄道が何本も横に通ることを、「一帯」（ワン・ベルト）という。ただの1本の鉄道ではない。人類はここでかなり前進して、貧しい国々が経済成長を実現するだろう。ただし、それほどディープ・ステイトは甘い連中ではないから、この一帯一路の各国協調の大動脈を叩き壊しに来るということも、十分に考えられる。

それを防御するために、中国とロシアがユーラシア大陸を覆う集団安全保障（軍事同盟）の態勢を整えつつある。それを「上海協力機構（SCO《エスシーオー》）」という。上海協力機構は2001年、中国、ロシア、カザフスタン、キルギス、ウズベキスタンの6カ国で発足し、現在は9カ国が加盟している。

この上海協力機構（Shanghai Cooperation Organization）をめぐり最近、次のようなニユーズも飛び込んできた。

「イラン、上海協力機構への加盟手続き開始 アフガン政策で中ロと歩調」

2021年9月17日まで2日間、開かれた上海協力機構（SCO）首脳会議では、2005年からオブザーバーだったイランの正式加盟に向けた手続きの開始が決まった。イランはSCOを主導する中国、ロシアへの接近を鮮明にし、欧米に対抗する足場を強める思惑がある。

SCOは中ロ、中央アジア各国、インド、パキスタンの8カ国で構成され、会議はタジキスタンの首都ドゥシャンベで開かれた。

イランのライシ大統領は9月17日、首脳会議で米国を念頭に「国際秩序は多極化《マルチ・ポーラー》へ移行している。世界の平和と安定に対し、覇権国家はテロと並ぶ脅威だ」と主張。「相互の信頼や協議、互恵、平等、多文化尊重といった上海協力機構が持つ精神は、今世紀の和平に不可欠だ」と強調した。

ライシ師にとって8月の就任後、初の外遊。同行したアブドラヒアン外相は加盟手続きの開始を受け、ツイッターで「アジア重視を掲げる我が国の外交政策に極めて重要だ」と述べた。

イランは2006年から計4回、国連制裁を科され、これまでSCOへの加盟申請を却下されてきた。2015年のイラン核合意を受けて制裁は解除。米国が18年に離脱した核合意の復活は見通せず、17日のSCO首脳会議の声明では「核合意を安定的に実現する重要性」が盛り込まれた。

イランの加盟を支持するロシアのプーチン大統領は、中国の巨大経済圏構想「一帯一路」と自国主導のユーラシア経済連合を結びつける構想を持つ。プーチン氏は首脳会議での演説で「イランはユーラシア地域で重要な役割を果たしている。イランの加盟は上海協力機構の国際的な権威をさらに高めるだろう」と述べた。

首脳会議では、アフガニスタン情勢をめぐり、包括的な政権誕生の重要性が指摘された。暫定政権を樹立したイスラム主義勢力タリバンは閣僚ポストを事実上独占。各勢力の参画を求めてきたイランは批判のトーンを強め、政権承認をめぐっては中ロと同様に慎重な姿勢を見せる。SCOを通じた多国間のアプローチは「好都合」（イラン政治評論家）と言える。

イランは7月、当時のアフガン政府とタリバンの双方から代表団をテヘランに招いて会合を取り持ち、影響力の確保を目指してきた。アフガン少数民族ハザラはイランの国教イスラム教シーア派が主流で関係が深く、弾圧された過去から今後の処遇を懸念しているとされる。

イランは１９９０年代、アフガニスタン北東部パンジシールが拠点の反タリバン勢力を支援した。98年に北部マザリシャリフでイランの外交官ら11人がタリバンに殺害された経緯もあり、イラン市民には今も反タリバン感情が根強い。

２００１年の米同時多発テロ後、イランはアフガニスタンに侵攻した米国に歩調を合わせた。しかし、翌02年に米国から「悪の枢軸」と非難されると、「反米」に戻り、タリバンと一致した。米政府は、イランが06年ごろ、タリバンに武器供与を始めたとみる。

イランにとって、米軍のアフガン撤退は長期的には好ましい。ただ、アフガニスタンとは約９００キロの国境を接しており、政情不安からテロの温床になることを強く警戒している。

（2021年9月18日　朝日新聞）

アフガニスタンよりも、さらに日本人にとって重要な国はインドネシアである。インドネシアは今や新興大国（人口2億7000万）であり、この国がますます重要になる。日本との関係も深い。

インドネシアには、中国の資金と技術と労力で、「ジャカルターバンドン間」150キロメートルの高速鉄道が完成しつつある。インドネシアは、大きなジャワ島とスマトラ島が並びボルネオ島の半分を含む。それと小さな島々からなる。インドネシア人は日本人を尊敬しているのに、ディープ・ステイトとアメリカの奴隷をやりすぎたので、今ではアジア諸国からやや下に見られるようになった。

インドネシアの高速鉄道計画には、日本政府とJRが参入しようとしていた。だが、金額や完成後の安全管理の費用の問題で、入札で負けた。反面、中国政府はインドネシアに対し、ほとんどタダで高速鉄道を作ってあげるという態度に出た。「建設代金は、やがて経済成長したときに入ってくる運賃で払ってくれればいい」という大盤振る舞いだった。

インドネシアに中国製高速鉄道が開通する

日本の新幹線（1964年開通）と同じで、一気にその国の成長が進む。

もうすぐ完成する高速鉄道。これまで3〜5時間かかっていたジャカルターバンドン間の移動が40分に短縮し、2億7000万人の国民が喜ぶ。バンドンースラバヤ間も作る。スマトラ島にも中国製の高速鉄道網が整備されていくだろう。

採算度外視の中国の100年先を見据えた経済支援策に、欧米も日本も、もうかなわない。だから、「ジャカルターバンドン線」の高鉄の完成に対して、物凄い妬《ねた》みとやっかみで新聞記事がたくさん書かれた。工事が難航し、用地取得が進まないと、さんざん悪口を言われた。ところが、もうすぐ2022年末に工事が完成し開通する。

さらにジャワ島とスマトラ島を横断する高速鉄道の建設が、急速に進むだろう。そうすれば、インドネシア経済は、これまで以上に飛躍的に成長する。

今の中国はインドネシアだけでなく、世界各国に対しまったく同じような太っ腹の現実的な経済支援をしている。この中国の政策を中国の悪辣な策略であり、やがて中国が世界をいいように支配しようとしていくと、わざと書く人々もいる。中国はカネで、その国を押さえ付ける、と。だが、それはお前たち欧米白人がやってきたことではないか。

アメリカは、自国内に新幹線のような高鉄1本も通せない。本当は通勤新線としての便利な新幹線をアメリカ国民は、喉の奥から手が出るほど欲しがっている。だが、それを建設することすらできない。アメリカ合衆国はあれだけ先進国のトップを自認していながら、1路線すら作ることができない。

カリフォルニア州のLA（ロサンゼルス）からSF（サンフランシスコ）までの400

インドネシア高鉄を中国が作ることを日本は今も憎んで嫌がっている。しかしこの路線で中国は突き進む

写真はちょっと立派だが、中国は本当にインドネシアに高速鉄道を作っている。ジャカルターバンドン間146キロを40分でつなぐ。2022年末に開通する。

キロメートルに及ぶ高速鉄道も、テキサス州ヒューストンとダラスを結ぶ鉄道も、ボストンーニューヨークーフィラデルフィアーワシントン（BosNYWash　ボスニワッシュという）間の高速鉄道も結局できなかった。アメリカ国民は、今も毎日2時間かけて自動車で会社や工場に通う生活に本当にうんざりしている。

1908年のT型フォードの登場による「モータリゼーション」のスタートから100年以上が経った。「国民全員が自分の車を持てるようにする」とフォード社の創業者であるヘンリー・フォード1世が言った通りになった。そしてアメリカ国民は、通勤用の高速鉄道を作ってくれと願っている。それなのに、路線周辺の住民たちが反対運動ばかりするので、用地買収がうまくいかない。

彼らは「高速鉄道が通ると自分の牧場の牛から乳が出なくなる」と、自分の土地を通るわけでもないのに恐るべきいちゃもんをつけて、鉄道建設に反対している。このように、アメリカは迷妄の国なのである。

世界の最先端を行っていた一人っ子政策

中国共産党打倒ばかり言っている人は、この40年間で中国がどれだけ豊かになったか。もう少し謙虚に見て自分自身で反省したほうがいい。

たとえば25年以上前にヒラリー・クリントンたちが北京に押し寄せて、第4回世界女性会議（1995年）で、中国の「一人っ子政策（ワン・チャイルド・ポリシー）によって、女性が強制的に堕胎《だたい》させられている」と中国共産党を非難した。しかし、当時の中国にしてみれば、あのとき一人っ子政策をとり、子どもを産まないようにしなければ、中国人民を食わせていけないという極めて切実な状況にあった。

欧米白人文明から見れば、国家が強制的に堕胎させるのは非人間的極まりない政策となる。だが私は、こうした問題を避けて通るものの見方をしてはいけないと思う。実際、中国で何が起きたか。現在、中国は3人まで子どもを作れるようにした。しかし中国人は2人、3人目の子どもを作ろうとしない。

中国の一人っ子政策が実現したのは、なんと日本においてである。中国から吹いた〝風〟

とでも言えよう。日本で勝手に一人っ子政策が実現した理由は、何人も子どもを育てられないという現実があるからだ。すべての日本人がそう思う。しかし学者というバカな人間たちは、こういうバカみたいな議論と向き合わず逃げ回っている。

人口抑制問題に関して、まったく新しい見方が5年前から出ている。今や人口増加は世界的に頭打ちになりつつあるという研究発表が出ていたのだ。私も読んだが、ユヴァル・ノア・ハラリの『サピエンス全史』のなかで、「世界人口は100億人に達したら、そこから減少する」と書いてあった。

私が最近手に入れた、優れた若い人口学者（デモグラファー）たちの研究では、97億人まで増えて、そこで人口増加は止まるという。

現在の世界人口は78億人だ。かつては1年に1億人誕生したが、現在は1年で8000万人の増加で、世界人口の増加率は大きく減っている。アジア、アフリカの貧困層が、ボコボコ子供を産むので、ものすごい勢いで人口が増えてきた。それが、教育制度や衛生の向上で出産数が減った。

そして、まさしくコロナとワクチンによる、ディープ・ステイトどもによる人類の人口の大削減政策の実行である。ディープ・ステイトの白人富豪たちは、アフリカや中東から難民の形でヨーロッパに押し寄せることに心底不愉快だったのだろう。北アメリカのディープ・ステイトは中南米諸国の人間たち（ラティノス）が北米に移動してくることを阻止すると決めたのだ。

それでコロナウイルスを作ってまき、ワクチンでも大量に殺そうとしているのだ。皮肉なことに、自分たち白人が一番先に滅びそうであるが。

中国はユーラシア大陸へと、さらに伸びていく

この人口が急激に減りつつある問題は、中国政府にとっても問題となっている。対策がとられるだろう。ただ私の考えでは、現在、中国政府が発表している中国の人口14億はウソで、本当は15億人いるはずだ。地方の農村地帯には人口統計に含まれない人、とくに若い女性が多くいると思われる。彼女たちが都会に出てきて、最下層の女工や飲食店の従業員になっている。

中国はウイグル族のいるタクラマカン砂漠や、さらにはチベット高原などに向かって、ものすごい勢いで、それらの半分岩石砂漠のような地帯に新しい活路を見出すだろう。

砂漠の下に紙おむつのような半透膜の水分吸収材料を敷きつめることで、雨水を保存して、これらの乾燥地域をやがて緑地に変えていく。あるいは、遠く離れた山岳地帯から水を運んでくる。そして、巨大なシールドを上空に作って、人工的な都市をつくることまでやるだろう。

水さえ手に入れば、砂漠の大開発はできる。私は現に現地でそれを見てきた。

前述した通り、中国政府はすべての中国人家族に床面積100㎡の高層住宅を与えるという政策を実行するだろう。中国現地を実際に見ていると、そのことは確実だと実感できる。50階建てのビルをまとめて300棟くらい作るという計画が、中国全土で進んでいる。巨大な生コン製造所を工事現場の真ん中に作って、その周りに一気に鉄とガラスの素材を集めて、超高層ビルをどこまでも果てしなく建てていく。水さえ十分に手に入れば、これらのことは可能である。

中国は、日本人が考えているような東シナ海や南シナ海の海域を中心には、これからの世界を考えていない。まさしくユーラシア大陸全体を、中国は大きく開発していくのである。ユーラシアとはユーロ・アジアである。だから、当然ヨーロッパ、そして南アジアと中東を含む。さらにはアフリカまでつながっていく。

中南米諸国に向けては、前述したTPP加盟で巨大な船の輸送路を作って貿易する。そのためにニカラグア運河が着々と掘られている。今のパナマ運河よりも数倍は大きな規模だ。ここが開通したら、カリブ海諸国に中国の巨大貿易船が入り、そこからさらにぐるりと回って、アルゼンチンまで中国産品を届ける。

そうなったら、アメリカ合衆国とヨーロッパ、すなわちディープ・ステイトが支配する今の世界は打ち倒される。中南米諸国も、アメリカではなく中国の言うことを聞くようになる。

現在、オーストラリアのモリソン首相たちが、盛んに中国敵対政策をとっている。まるで日本の安倍晋三の反共・反中政策の再来のようである。だがオーストラリアは農産物、畜産物、石炭、鉄鋼、ウランなどの輸出先として、中国が一番大事な国だ。だからオーストラリアが、あからさまな中国敵視政策をいつまでもとり続けられるわけがない。

詳しく前述したが、2021年9月、南シナ海で対《たい》中国の軍事演習が行われた。そして、米日印豪の4カ国による「クアッド」という中国包囲網の軍事同盟の会議が開かれた。ところが、これとは別個にイギリスとアメリカとオーストラリアの3国は、全く同時期の2

021年9月15日に、「AUKUS《オーカス》」という国家情報共有化協定を結んだ。これは、いわゆるファイブ・アイズ　Five Eyes　と呼ばれる国家情報機関どうしの西側の白人同盟の一部である。

このAUKUSで、「原子力潜水艦配備に協力する安全保障の取り決め」を締結した。オーストラリアはアメリカから原子力潜水艦を作ってやるという甘言に乗って、フランスとの契約を破棄した。

しかし中国は、そんなものを相手にしないくらいの力をすでに持っている。インド政府も、はっきりと「インドは中国と敵対しない。もらえる経済援助はもらう」と言っている。インドで一番トータルで売れているスマホは、やはりシャオミ（小米）製である。インド人はハイテク製品を作る能力がないから、結局中国に勝てるわけがない。短い記事を紹介する。

「インド貿易額、中国が首位」

インド商工省によると、インドの輸出と輸入を合計した貿易額は2020年に中国が８６３億ドル（９兆円）となり、国・地域別でみると3年ぶりに首位となった。２０１８～19年は米国がトップだったが逆転した。

インドと中国は20年5月から、（ジャンム・カシミールの）国境係争地域でにらみ合いを続けている。インドは国内市場で中国企業の参入を排除し、関税引き上げにも動いた。だが、現実的には中国への依存が解消されていない。

宝石に使うとみられる原石・冶金《やきん》、鉄鋼、綿などを輸出した一方で、インドは電化製品や化学製品などを大量に輸入した。貿易赤字は４４０億ドル（5兆円）にのぼる。２０２１年に入ってからも中国からの輸入は増加基調で推移している。

（２０２１年8月14日　日本経済新聞）

インドは原発などの発電設備は、ロシアに助けてもらっている。インドは日本の新幹線をもらってきて、高速鉄道を作るふりをしている。ニューデリーとムンバイ間に、いつできるか分からない。どうせこっちも、中国製にとって代わられるのではないか。

日本人の多くは中国人を上から見下して、自分はアメリカの忠実な手先を続けて中国いじめ政策に加担してさえいればいいと思っている。だが、いつまでもこんな考えでいると、自分たち自身が落ちこぼれてしまう。

私はこの本でも言ってきたが、中国崩壊論を唱えてきた者たちは、先に自分の頭のほうが崩壊すると、本気で心配したほうがいい。少なくとも私の本を読んでくれる人たちは、私が示した大きな世界規模の理解をしてほしい。

おわりに

この本、『ディープ・ステイトとの血みどろの戦いを勝ち抜く中国』を、私が書いている時、日本国内ではまだコロナウイルスとそのワクチンを打つことをめぐる混乱と社会不安が続いている。ワクチンを打った人たちの中で、全国で物凄い人数が高熱を出し、痛みを感じ、さまざまな悪い症状を起こしている。そのことを、ヒソヒソどころかザワザワと話している。

ところが日本の政府も、医者たちの団体も、テレビも新聞も、「ワクチンの3回目、4回目を接種しよう」という立場である。そのように急《せ》き立て扇動《せんどう》している。私は、せめて子供たちだけには、絶対にワクチンを接種させてはいけない、という立場である。もうすでにワクチンを打った大人たちは仕方がない。

日本には真実は、コロナウイルスはほとんど入ってこなかったし（政府が防御した）、この新型ウイルスで死んだ人はほとんどいない、と思っている。私自身は、このヘンなワクチンを打ってはいけないという立場である。私は反ワクチン派 un-vaccinated である。みんなが大きく騙されているだけだ。自分の体と頭をおかしくされている。

この世界を邪悪な意志で統制しようとしているディープ・ステイト（陰《かげ》に隠《かく》れて世界を支配する者たち）の底知れない悪魔性を痛感するに及んで、私はわが民族の存亡まで危惧している。

それに引き換え中国は、国民向けのワクチンはmRNA（メッセンジャー・アール・エヌ・エイ）の遺伝子組み換え型ではない。中国製のワクチンは従来型の、ウイルスが不活《ふかっ》化《か》（完全に死んでいる）のシノファーム社製とシノバック社製のワクチンを作って国民を守っている。

私はウイルス学や感染症学の専門家でも医者でもないので、知ったかぶりはしない。それでも今、人類を襲っている集団発狂状態を、深く憂慮する。

本書のP200で書いたが、中国は、2019年10月にアメリカの恐ろしい勢力が（米軍を使って）武漢《ウーハン》に撒いた新型コロナウイルスという生物化学兵器（細菌爆弾）を見事に撃退した。中国の勝利である。ディープ・ステイトはこの後《あと》、狂ったようになって、世界各国に新たに変異種のコロナウイルスを撒いて回った。だが、人工のものであるために、大した被害は出ていない。それでもコロナの恐怖で、世界各国の人々をパニック状態に陥れておいて、その次にワクチンの形で、直接人間の体の筋肉と血液中に、生きているコロナウイルスを注射させた。

こういうことを書くと、私は、今の日本の社会情勢からは、少数派の異質な言論人と見なされ疎外される。私は、人々は集団発狂状態（マスヒステリア）に陥っていると考える。このマスヒステリア（mass hysteria）という考えは、精神分析学（精神医学）の泰斗《たいと》であるジーグムント・フロイトが唱えたもので、集団発狂は、英語及びヨーロッパ語で、マスヒステリアと言うより他にないのである。

私はコロナ問題について、2020年の7月に、『日本は戦争に連れてゆかれる　狂人日記2020』（祥伝社新書）を書いた。この本の中で、日本国民は太平洋戦争に突入した時に、訳も分からず異様に興奮して一瞬のうちに集団狂躁《きょうそう》状態に陥ったと書いた。今のいい静かなる集団発狂状態と酷似している。

日本が大国のアメリカと戦争を始める、などと思っていた国民は、真珠湾攻撃のその日まで、指導者層数十人を除いて、誰もいなかったのである。その直後、日本人は一気に舞い上がって、「鬼畜《きちく》米英」「撃《う》ちてし止《や》まん」「聖戦必捷《せいせんひっしょう》」を唱えながら、正装の羽織袴《はかま》姿で、町内会ごとに皇居を一周したのである。

日本を、ことさらに中国にぶつけようとする人たちがいる。そして、戦争にまで突入すればいいと本気で思っている人々がいる。「中国が攻めてくる」と。

私はこの反共《はんきょう》右翼で反中国を喧伝《けんでん》し、日本国民を扇動するメディアや言論人たちと厳しく対決しないわけにはいかない。中国は、一歩引いて、慎重に、かつ優れた頭脳でこれに対抗している。

戦争にのめり込んでいく時の国民心理の根底にあるのは、激しい自己防御《ぼうぎょ》本能（セルフプロテクション・インスティンクト）である。ところが、この自己防御本能は、急激に相手への攻撃性となって現れることがある。あまりにも人間に虐待された動物が、人間に噛《か》みついてくるのに似ている。この行動は、自己破壊衝動（セルフ・ディストラクティブネス）として、自傷行為（自損行為）になる。

恐怖感から本気で相手に殴り掛かったら、自分の手の骨を折るであろう。これがフロイトが学問的に研究した「自我」（Das《ダス》 Ich《イッヒ》。ego　エゴ）である。それが集団としての国民感情として表れるのが、超自我《ちょうじが》（Über《ユーバー》 Ich《イッヒ》。super《スーパー》 ego《エゴ》）である。スーパーエゴ（超自我）は、部族社会や民族全体としての共同主観（共同幻想　マス・イルージョン）である。フロイトはこのエゴ（自我）とスーパーエゴ（超自我）の理論を唱えたことによって今も20世紀の大思想家である。

超自我《スーパーエゴ》は、体制側の社会統制（ソウシアル・コントロール　social control）に自ら進んで従っていく人間の本能的な自己防御行動である。だから今は、みんながしている通りに自分もマスクをして、ワクチンを打ちに行くのである。そうやって、皆と同じだと安心したいのである。だが、それこそが、まさしく集団発狂心理《マスヒステリア》であった。私たちは、おそらくまとめて、ごっそりと次の戦争に連れてゆかれるだろう。

私は「ああ、そうか。このことだったのか」と、改めてフロイトの思想の偉大さを理解できた。

コロナとワクチンに狂っている日本国民は哀れである。いや、計画的にディープ・ステイトの力によって、私たちは狂わされているのである。「狂っているのはお前のほうだ」と言いたい人は言ってください。

この本は、「はじめに」で書いた、7つの巨大勢力を中国政府が最近、一気に叩き潰した、を全体の構成にしている。このことをうまく説明できていれば、本書の成功だと考える。(1)デジタル人民元、(2)台湾独立派、(3)過酷な受験勉強、(4)恒大集団、(5)中国版ビッグテック、(6)ビットコインと全ての仮想通貨、(7)コロナウイルス、の7つである。

この本を作るために、ビジネス社編集部の大森勇輝氏に一方《ひとかた》ならぬお世話になった。記して感謝します。

副島隆彦

2021年11月

著者略歴

副島隆彦（そえじま・たかひこ）

1953年福岡市生まれ。早稲田大学法学部卒業。外資系銀行員、予備校講師、常葉学園大学教授などを経て、政治思想、法制度論、経済分析、社会時評などの分野で、評論家として活動。副島国家戦略研究所(SNSI)を主宰し、日本初の民間人国家戦略家として、巨大な真実を冷酷に暴く研究、執筆、講演活動を精力的に行っている。『アメリカ争乱に動揺しながらも中国の世界支配は進む』『全体主義の中国がアメリカを打ち倒す』『副島隆彦の歴史再発掘』『今の巨大中国は日本が作った』（以上、ビジネス社）、『コロナ対策経済で大不況に突入する世界』（祥伝社）、『ミケランジェロとメディチ家の真実』（秀和システム）、『目の前に迫り来る大暴落』（徳間書店）など著書多数。

写真提供：共同通信社（P167、169、213、223）、時事通信社（P2、79、103、185）、毎日新聞社（P143）

ディープ・ステイトとの血みどろの戦いを勝ち抜く中国

2021年12月10日　第１版発行
2022年１月14日　第２版発行

著　者　副島隆彦
発行人　唐津 隆
発行所　株式会社ビジネス社
〒162-0805　東京都新宿区矢来町114番地　神楽坂高橋ビル５階
電話　03(5227)1602（代表）
FAX　03(5227)1603
http://www.business-sha.co.jp

印刷・製本　株式会社光邦
カバーデザイン　大谷昌稔
本文組版　茂呂田剛（M&K）
営業担当　山口健志
編集担当　大森勇輝

ISBN978-4-8284-2353-1

ビジネス社の本

今の巨大中国は日本が作った

副島隆彦……著

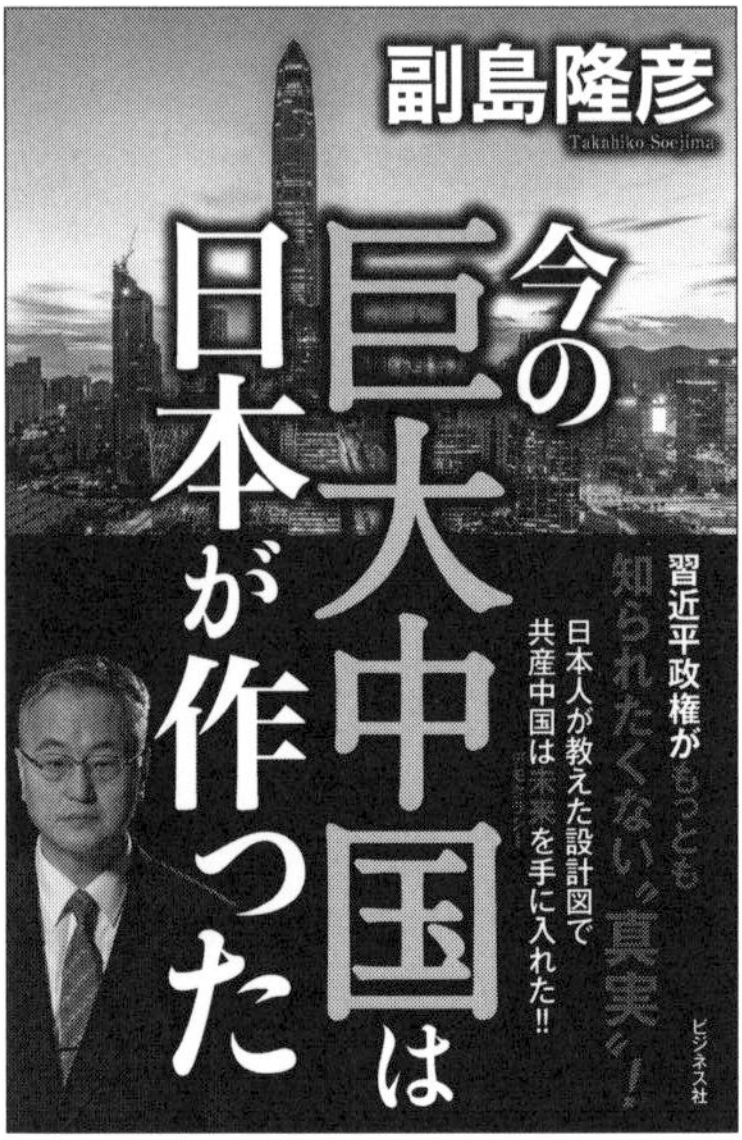

もはや中国を、「好き」「嫌い」の感情論だけで語れる時代は終わった！

私たちの目の前で日に日に巨大化していく共産中国。一方で世界中に渦巻く中国経済欺瞞論、米中軍事対決説、共産党一党独裁vs. 民衆の蜂起予測、習近平暗殺の噂……。一体日本人は、この見たくない現代中国という〝現実〟をどう受け止めるべきなのか？
知られざる中国発展の秘けつと未来像が初めて明かされる！

本書の内容

第1章　中国国内の権力闘争と2022年からのデモクラシーへの道
第2章　人民解放軍vs. 習近平のし烈な戦い
第3章　今の巨大な中国は日本人学者が作った
第4章　大国中国はアメリカの言いなりにならない
第5章　AIIBと一帯一路で世界は中国化する

定価1760円（税込）
ISBN978-4-8284-2010-3